KB182792

2019 '작가'가 선정한

오늘의 시

이 도서의 국립중앙도서관 출판시도서목록(CIP)은 e-CIP 홈페이지
(http://www.nl.go.kr/ecip)에서 이용하실 수 있습니다.
(CIP 제어번호 : CIP2019007874)

2019 '작가'가 선정한 오늘의 시

2019년 2월 28일 초판 1쇄 인쇄
2019년 3월 6일 초판 1쇄 발행

지은이 | 유계영 외
펴낸이 | 孫貞順
펴낸곳 | 도서출판 작가
서울 서대문구 북아현로6길 50(우 03756)
전화 | 365-8111~2 팩스 | 365-8110
이메일 | morebook@morebook.co.kr
홈페이지 | www.morebook.co.kr
등록번호 | 제13-630호(2000. 2. 9.)

기획위원 | 유성호 홍용희 나민애 전철희
편집 | 손희 설재원 박서영
디자인 | 오경은 박근영
영업 · 관리 | 이용승

ISBN 978-89-94815-92-3 03810

값 14,000원

2019 '작가'가 선정한

오늘의 시

■ 펴내면서

1990년대 이후 우리 문학계에서 지속적으로 떠돌던 '문학의 위기'라는 과장된 풍문은 진부한 관성만 남은 채 실체 없는 담론으로서의 수명을 다해가고 있다. 오히려 우리는 이러한 위기 담론을 무색케 하는 활발한 작품적 성취와 비평적 논의의 폭증을 지금 숱하게 목도하고 있다. 물론 문학의 위기 진단이 수용층의 저변 축소나 문학과 상업 자본의 공고한 결탁을 비판적으로 지적한 것이라면 문제가 없겠지만, 오히려 창작과 비평이라는 문학의 두 평행 레일은 최근 유례없는 외연적 활황을 보이고 있지 않은가. 이 가운데 우리가 가장 이색적으로 치르고 있는 경험은 '문학'이라는 현상과 행위를 둘러싼 여러 층위의 콘텍스트에 대한 비판적 점검일 것이다. 이러한 흐름 속에서 최근 우리 시가 거둔 성취는 결코 녹록하거나 가볍지 않다. 특별한 이슈 없이 잔잔하게 다양성의 심화 현상만을 보여준다는 혹독한 진단이 없는 것은 아니지만, 우리 시는 그 외연적 성층成層의 도약 못지 않게 새로운 시인군群의 증가와 함께 이른바 '미래파' 이후의 시대를 구가하면서 서정의 확장과 심화의 양상을 저마다 보여주고 있기 때문이다. 우리는 2019년 『'작가'가 선정한 오늘의 시』를 통해 지난 한 해 동안 우리 시단에서 이루어진 이러한 빼어난 성취들을 일별함으로써 우리 시대 서정의 균질적이고 지속적인 심화 흐름을 들여다보고자 한다.

이 책에서 우리가 강렬하게 경험한 서정의 실례들은, 서정의 구심적 본령을 회복하고 그것을 보편화하려는 미학적 충동에서 생겨난 결실들일 것이다. 이는 우리 시의 미학적 완결성이 여전히 존재론적 해석과 전망을 통해 구현될 것이라는 경험적 신뢰에서 발원한 것이기도 할 것이다. 우리는 의미 과잉을 경계하는 작법으로서, 그리고 상상적 능동성을 통해 현대인의 잃어버린 아우라를 되부르는 강력한 방법론으로서, 일종의 서정적 구심력을 강하게 요청받을 때가 있는데, 이는 시간의 의미를 집중적으로 형상화하려는 집착으로 이어지기도 한다. 이때 기억이란 항상 표면에 떠 있는 어떤 고정된 상을 의미하는 것이 아니라 기억될 당시의 상황과 유사한 맥락이 도래하면 언제든지 유추적으로 재현될 준비를 갖춘 가변적이고 역동적인 형상들을 말한다. 이러한 기억을 매개로 한 시간 형식이야말로 우리 시대의 가장 주류적인 서정의 원리가 되고 있다 할 것이다.

또한 우리 시대의 시인들이 읽고 관찰하고 형상화하고 내면화하고 그 의미를 완성시키는 시적 대상들은, 사물 그 자체이자, 인간의 삶을 담고 있는 반영체이자, 자신의 시작 행위 전체를 환유하는 역동적 상관물이기도 하다. 이러한 다양한 형상적 가능성과 함께 우리 시대의 서정시는 우리 사회에 편재하는 현실적 모순을 끈질긴 관찰과 묘사와 대안 제시로 감싸안고 있기도 하다. 아닌 게 아니라 인간을 탐구하는 것을 본령으로 하는 서정시가 사회 모순이나 사람살이의 구체적 고단함에 주목하는 것은 매우 자연스럽다. 그런 면에서 현실을 핍진하게 반영하는 것을 중심 원리로 삼는 미학적 원근법은 여전히 설득력을 지닌다. 우리는 삶의 구체성과 보편성을 하나로 관통하는 상상력의 통합 과정을 거치며 자기 긍정에 토대를 둔 사회적 상상력의 시적 가능성을 이 책에서 두루 만날 수 있을 것이다.

이번 설문 조사 결과, 작년 한 해 동안 발표되었던 시편 가운데 유계영의 「미래는 공처럼」이 가장 많은 추천을 받았다. 이 작품은 시간-미래에 대해 이야기하고 있다는 점, 그리고 그것을 표현하기 위해 공의 비유를 끌어왔다는 점을 통해 공처럼 운동하는 시간을 “경쾌하고 즐거운” 어조로 드러내고 있다. 미래를 이야기하기 위해 공의 이미지를 가져온 것이 아니라 반대로 공을 이야기하기 위해 미래의 이미지를 차용한 것처럼 느껴지기도 한다. 다양한 언어-이미지를 통해 독자의 상상력과 감각을 개안시키는 것이 시의 본령 중 하나라고 할 때, 이 작품은 그런 시의 본령에 충실하면서도 세련된 감수성까지도 겸비했다는 점에서, ‘오늘의 시’로 선정되기에 부족함이 없는 작품이었다. 그의 약진을 소망해본다.

앞으로 우리 시단은 시에 대한 믿음으로 2019년 이후의 풍경을 꿈꾸게 될 것이다. 지난 한 해의 시적 성과들은, 이러한 과제에 확연하고도 분명한 미학적 대안을 제시하지는 못했지만, 탄탄한 미적 완결성을 두루 보여주었다고 할 수 있을 것이다. 모쪼록 이 책이 우리 시대의 이러한 과제들에 대해 유추적으로 사유할 수 있는 자료가 되기를 바란다.

2019년 2월 기획위원회

목차

2019 오늘의 시집 시집 19권

2019 '작가'가 선정한 오늘의 시

강현덕 강형철 고두현 나태주 권달

나팔꽃_밥_눈 녹이는 남자_물고기 그림_풍금소리_천일의

김성춘 김수열 김양희 김영찬 김윤

파초 일기_폐가_빨간 장화_마라케시의 구둣방_안개지대_폭포_안개의 방_나무

류인서 문보영 민병도 박권숙 박기

안경_충분한 성격_겨울 대숲에서_종말이 화사하다_꽃의 서사_빈센

박희정 백은선 서숙희 서홍관 선안영

전신마사지_몬순_쇄빙선_핸드폰 번호 넣어주세요_섬,

신경림 신미나 신동옥 신용목 신철

살아 있는 것은 다 아름답다_흰 개_후일담_대성

염창권 오성인 우은숙 유계영 유재

비 그친 뒤_바닥에 대하여_바람의 깃발_미래는 공처럼_계절을

이승철 이은규 이재무 이희중 임지

지금 나에겐_밤은 짧아 걸어 아가씨야_울음소리_허물어지는 집_과일들_나의 오래된 적의와_관

정희성 조승래 조은 조정인 진은

나는 자연을 표절했네_철이 들어_반성이 과한 만두소처럼_함박눈이 내리기 때문입니

상호 김경미 김명인 김삼환 김선태

프랑스어 수업_지상의 시간_그리움의 동의어_꽃들의 전쟁

일연 김종태 김중일 김지녀 김희업

이 꾸는 꿈, 나는 네가 꾸는 꿈_개미에 대한 예의_텃밭은 가깝고 해변은 멀다

시교 박은정 박찬일 박현덕 박형준

호 생각_악력_천사는 아들이 아니다_벅수 정거장_무덤에 가는 사람

경 손세실리아 손진은 손택수 송재학

에서_글피_육지것_빗방울에 대하여_흉터 필경사_그림자

필영 안도현 안희연 양희영 여태천

_봄이 온다_무빙_터닝_꽃도 잊었네_저기 너머로

규리 이남순 이달균 이병초 이승은

네 개의 형태_하지_막사발_오래된 책상_허수아비_꽃돌에 숨어

재선 전기철 정끝별 정수자 정용국

릉의 소설 속을 헤매다 이문구를 만나다_홈페이지 앞에서_검은 발에 숙이듯_앵두가 익을 무렵

금진 최동호 함기석 함명춘 허연

술사_누가 고양이 입속에 시를 꺼내 올까_호롱불_살을 굽다_붕어빵 장수_그해 강설

강현덕

나팔꽃

햇빛의 농담은 처음부터 언짢았다
새들의 긴 조롱도 갈수록 거북했다
해 뜬 후 마음의 절반
저절로 오그라졌다

모질기도 하여라 후두를 찢은 바람
시퍼런 핏덩이를 기어이 뽑아냈다
노래에 묻은 핏자국
선명한 요절의 예감

절명의 순간은 너무 빨리 찾아왔다
오전도 겨우 아홉 시 풋감 하나 떨어지고
신문은 한 젊은 가수의 부음을 전해왔다

(화중련 하반기)

시 작 노 트

어둠을 몸에 묻히고 마음껏 혀를 놀리는, 누군가의 시퍼런 피로 살아가는, 좀체 나타나는 법이 없는, 그들은 누구일까. 뭐? 나라고? 우리라고? 우리끼리 던졌던 농담이나 조롱들이 루머가 되고 그것이 그들의 허리를 잘라버렸다고? '노래는 애달픈 양식'(故 김광석 노래 중)이라는 사람들의 그 가여운 후두를 찢어버렸다고? 이른 아침 나팔꽃으로 지게 했다고? 아아.

강 현 덕 1994년 중앙신인문학상 당선. 1995년 《조선일보》 신춘문예로 등단. 중앙시조대상 신인상, 시집으로 『한림정 역에서 잠이 들다』『안개는 그 상점 안에서 흘러 나왔다』『첫 눈 가루분 1호』『먼저라는 말』 등이 있음. 중앙시조대상 신인상, 한국시조 작품상, 한국동서문학 작품상 수상. '역류' 동인. river412@naver.com

강형철

밥

씹히면서도
언제 말하는 것 보았나

이빨 다치지 말라고
부드러울 뿐

단정하게
삼켜질 뿐

(에디터 상반기)

시 작 노 트

발화되지 않는 것들의 말을 살펴보고 싶다.

강 형 철 1955년 군산 출생. 1985년 《민중시》 2집으로 등단. 시집으로 『야트막한 사랑』 『도선장 불빛 아래 서 있다』 『환생』, 평론집 『시인의 길 사람의 길』 『발효의 시학』 등이 있음. 〈5월시〉 동인. hckang55@hanmail.net

고두현

눈 녹이는 남자

북극 한파 폭설로
꽁꽁 언 새벽

느닷없는 굉음에
문 열고 내다보니
연막소독기 같은 화염방사기로
빙판길을 녹이는 사내.

두 시간 넘게 화통을 쏜 그가
이마를 훔치는 동안
도심 건물 사이로
김이 모락 피어났다.

밤새워 지구 발바닥 덥히고
단잠에 빠진 사내.

무사히 일과를 끝낸 뒤
또 누구 어깨 다독이는지
가끔씩 팔을 움찔거리며
한 쪽 입술을 실룩이며

꿈속에서도 화통을 쏘는지
코고는 소리 요란한
저 눈밭의 성자.

방사기를 짊어진 채
모로 누운 그의 등에서도
김이 모락 피어났다.

(시와시학 봄)

시 작 노 트

그날 그 '눈밭의 성자'는 몇 시쯤 잠에서 깨어났을까. 이렇게 얼어붙은 세상에서 나는 무엇으로 지구를 덥힐까. 그 순간 내 몸에선 어떤 김이 피어날까……

고 두 현 1993년 《중앙일보》 신춘문예로 등단. 시집으로 『늦게 온 소포』 『물미해안에서 보내는 편지』 『달의 뒷면을 보다』 등이 있음. 《시와시학》 젊은시인상 등 수상. kdh@hankyung.com

나태주

물고기 그림

— 석장리 시편·1

강물에서 바다에서 피둥피둥
헤엄치며 놀던 물고기들 잡아다가
밥상에 올려놓았으니
우리들 밥상이 강물이 되고 바다가 됐지 뭔가
우리도 강물이 되고 바다가 되어보는 거야
아니 물고기로 살아보는 거야
그렇지 않고서는 물고기를 배반하는 일이고
강물과 바다를 실망시키는 일이지 뭐냐

그뿐인가
때로는 하늘을 펄펄 나는 새들을
잡아다가 길러서까지 밥상에 올려놓고
그들의 사랑스런 알까지도 밥상에 올려놓았으니
우리가 이번엔 하늘이 되어보고 새들이 되어보고
새들의 알이 되어보는 거야
아니 그런 모든 것들로 한번 살아보는 거야
그래야 상생이고 동행이 아니겠는가

사과나 배 참외 수박이나 딸기
그런 과일들은 더 말할 것도 없지
우리가 그냥 그런 과일이 되어버리는 거야

과일들이 가졌을 빛나는 시간들을 가지고
과일들과 함께 눈부신 햇살과 맑은 공기와 깨끗한
물이 되어버리는 거야
그렇지 않고서는 정말로 배반이지 찬성이 아니야
찬성! 찬성! 그래 찬성 말이야.

*

때때로 그런 걸 우리는 공주 석장리 금강변
구석기 박물관 그 어름에 와서
배우고 느끼고 그런다
그래서 우리도 구석기 시대 사람으로
다시금 태어나고 싶어 한다.

(서정시학 겨울)

시 작 노 트

생명의 아름다움과 신비, 그리고 아름다움에 대해서 쓰고 싶었습니다. 아닙니다. 인간의 사랑에 대해서 말해보고 싶었습니다. 나보다는 젊은 나이의 화가, 인생에서도 실패하고 그림에서도 별로 진전이 있어 보이지 않는 그가 모처럼 전시회를 열었다 해서 그림 구경하러 갔다가 그가 그린 물고기 그림을 보고 문득 화가가 안쓰러워 용기를 주기 위해 이것저것 잔소리 비슷한 말을 투덜거리고 돌아와 그 내용들을 간추려 기록한 것이 이 글입니다. 내편에서 무언가 주겠노라 했던 것인데 결과적으로는 그편에서 내가 또 받아온 셈입니다. 이렇게 나는 또 빚을 지고 말았습니다.

나 태 주 1945년 충남 서천 출생. 1971년 《서울신문》 신춘문예로 등단. 시집 『대숲 아래서』 등이 있음. 흙의 문학상, 유심작품상 등 수상. 공주풀꽃문학관 설립, 운영. tj4503@naver.com

권달웅

풍금소리

수업이 끝나고 청소를 할 때 소나기가 쏟아졌다. 젖은 흙냄새가 교실 안으로 와아 몰려들어왔다. 그때 어둑어둑한 복도에서 웅웅웅 풍금소리가 울렸다. 풍금소리가 가뭄에 쏟아지는 빗소리 같았다. 운동장 한구석에 외롭게 꼬꾸라져 있는 맨드라미 빨간 볏처럼 말라리아에 걸려 연이틀 결석한 날, 시오리 빗길 걸어 오셔서 신열에 뜬 내 이마를 나긋나긋 짚어주시던 선생님, 그 여선생님이 치는 하얀 손에서 새가 날아올랐다.

(문학과창작 가을)

시 작 노 트

아직도 금계랍의 쓰디쓴 맛과 어렸을 때 들은 풍금소리는 내 혈액 속에 남아 있다.

권달웅 경북 봉화 출생 1975년 《심상》으로 등단. 시집으로 『달빛 아래 잠들다』『염소 똥은 고요하다』『공손한 귀』 등이 있음. 신석초문학상, 편운문학상, 펜문학상 등 수상.
kwondal22@hanmail.net

길상호

천일의 잠

어느 해 봄, 문 닫은 식물원 앞을 서성이다
바닥에 떨어진 나비를 업고 들어간 여관이 있다네
조화가 가득한 나무들의 복도를 지나
304호 열쇠를 다 돌리기도 전에
나비는 꽃잎 같은 영혼을 툭, 놓치고 만 것인데
그리하여 나는 길 잃은 봄
목관처럼 혹은 고치처럼 단단한 그 방에 갇혔다네
모란꽃 이불을 나비에게 덮어주고 나니
냉장고는 곡비처럼 한쪽에 자리를 잡고 앉아
울음을 이어다 붙이기 시작했다네
옆방은 고요하고 그 옆방은 더 고요해서
저승에 다시 피는 꽃, 꽃잎 터지는 소리도 들릴 듯한데
끊어진 울음 사이 귀를 대고 누워 있다가
봄이 가고 여름이 가고 가을, 겨울이 가고
또 봄이 오고 여름이 오고 가을, 겨울이 오고
나는 계절을 팔랑팔랑 건너는 꿈을 꾸었다네
하룻밤이 천 일 같던 천일장 여관
그 밤에 떠나보낸 내가 돌아오지 못하는 건
한꺼번에 너무 많은 날을 지나왔기 때문이라네

(시와반시 겨울)

시 작 노 트

천일장, 언젠가 들렀던 그 여관 이름을 떠올린 순간 아버지와 나란히 누워 자던 그날 밤이 떠올랐다. 나비가 되어 저세상으로 날아가신 후 당신의 기나긴 잠은 따뜻하실까?

길 상 호 2001년 《한국일보》 신춘문예로 등단. 시집 『모르는 척』 『우리의 죄는 야옹』, 사진에세이 『한 사람을 건너왔다』 등이 있음. 현대시동인상, 천상병시상 등 수상. 482635@hanmail.net

김경미

밤의 프랑스어 수업

스물 한 살이거나 하다못해 서른 네 살도 아닌데
돌은 썩고 물은 굳는데

기차는 낭비를 싣고 어제도 오늘도 달리네
금잔화보다 시끄러운 이빨을 드러내거나
구멍난 검정타이어처럼 질질 끌거나
바닥없는 슬리퍼가 되거나 원장이 달아난 병원이 되고
소방차들 물 뿌리고 간 전소全燒가 되어 달리네

아무리 낭비해도 종착역은 나타나지 않으리라는 것
껌 종이를 열거나 일회용 나무젓가락을 가르듯
안녕하세요 제 이름은 무엇입니다, 까지만
수월하리라는 것
혀를 잡아당기고 놓치고 다시 잡아당기다
또 놓쳐 얼굴에 고무줄 맞는 낭비나 반복되리라는 것
벚꽃이나 수박처럼 한 계절도 채 못 넘기리라는 것
입안에 숨어든 혀가 오늘도 내일도 계속 감추리라는 것
오분은 고사하고 삼분도 안되어 대화가 끊기리라는 것

그래도 기차는 또 다른 낭비를 싣고 다시 출발하겠지
밤의 강의실은 밤바다처럼 넓고

청춘남녀들에게선 복숭아냄새가 나는데
어둔 창밖으로는 밤비가 내리는데
밤비답지 않게 세찬데
시간 낭비는 더 세차고
그 이유와 원리를 모르겠으나 아뭏든
복숭아털인지 스웨터 보푸라기인지 자꾸 입가에 들러붙고

프랑스로 출발도 하기 전에
낭비만 더 늘고 고무줄만 더 늘어나리라는 것
고무줄에 맞은 입술만 아프리라는 것
말도 한마디도 안했는데

오늘은 하필 얼룩말 무늬의 옷까지 입었으니
저 비를 맞으면 가짜 줄무늬가 금세
얼기설기 번지거나 흐려지겠지 맨몸이 드러나겠지
밤비는 더욱 세지고 우산도 없고
다음 기차로 곧 따라 갈테니 먼저 가 기다리라고
괜히 손을 한번 흔들어보겠지만
곧 만날 듯하겠지만
점점 더 어이가 없고
점점 밤만 깊어지고 빗소리 낭비만 거세지고

우산 나눠 쓸 사람도 없고

이 모든 게 프랑스어가 아닌
한국어와의 일.

(시산맥 여름)

시 작 노 트

아직 한국어에도 서툴므로.

김 경 미 1983년 《중앙일보》 신춘문예로 등단. 시집 『고통을 달래는 순서』 『밤의 입국심사』, 산문집 『심리학의 위안』 『그 한마디에 물들다』 등이 있음. lilac-namu@hanmail.net

김명인

지상의 시간

오월 막바지의 꽃 넝쿨장미가
혈맹으로 뭉쳐 치렁거리는 언덕길을 내려가다가
문득 그대 없는 세상에 십년 하고도 오년을
그림자 끌며 흘러왔다는 생각에
갑자기 그쪽 형편은 어떠냐고 묻고 싶다
그대는 아직도 이 골목의 시인이니
새로 쓴 시가 궁금하고
나는 물구나무 세운 그늘 속이었음을
활짝 핀 꽃송이들로 오늘따라 쓸쓸해진다
젊음은 소란스럽지, 예전처럼 늙어서
노회한 시의 가슴을 더듬을 때
만져지는 것은 몰라보게 겹진 주름들,
저 불꽃장미 또한 지상의 꽃이니
며칠만 타올랐다 스러지는 것을
나는 여한 없이 바라본다, 저버린
약속이 없었음을 시간은 일러주리라
며칠 내 물음처럼 맴돌던
언덕 위 아카시아 향기도 어느새 지워졌다
낙화의 티끌로 오는 신생이란
이렇게 얼룩지는 후일담이라는 것을,

(발견 가을)

김명인 1946년 경북 울진 출생. 1973년 《중앙일보》 신춘문예로 등단. 시집 『동두천』 『기차는 꽃그늘에 주저앉아』 『이 가지에서 저 그늘로』, 시선집 『따뜻한 적막』 『아버지의 고기잡이』, 산문집 『소금바다로 가다』 등이 있음. mikim@korea.ac.kr

김삼환

그리움의 동의어

새벽 풍경 지켜보는 새라 해도 좋겠다
내 몸 안에 흐르는 강물이면 어떤가
산책로 비탈에 놓인 빈 의자도 좋겠다

버리기 전 세간 위에 지문으로 새겨진
눈물 흔적 비춰보는 달빛이면 또 어떤가
그날 밤 술잔 위에 뜬 별이라도 좋겠다

깨알같이 많은 어록 남겨놓은 발자국에
비포장 길 얼룩 같은 달그림자 지는 시간
빈 방을 돌고 나가는 바람이면 더 좋겠다

(다층 겨울)

시 작 노 트

사람을 사람이게 하는 것은 무엇일까? 적어도 내게는 마른 수건에 물기가 스미듯이 내 주변의 사물에서 그리움을 찾아내고, 느끼고, 숨기고, 아끼는 것이라고 말하겠다. 말로 다 말할 수는 없겠지만, 어떤 존재에 대한 그리움이 없다면 내가 어떻게 살아갈 수 있을까? 내가 어떻게 숨을 쉬고 밥을 먹고 먼 산을 바라볼 수 있을까?

김 삼 환 1958년 전남 강진 출생, 1992년 《한국시조》 신인상, 1994년 《현대시학》으로 등단. 시집 『묵언의 힘』 등이 있음. 한국시조작품상, 중앙시조대상 수상, 〈역류〉 동인.
h3wan@unitel.co.kr

김선태

꽃들의 전쟁

봄 산에 전쟁이 터졌다

산벚꽃들이 사방팔방에서 펑펑펑 포탄을 쏘아대자

진달래들이 화염방사기로 화르르 불을 놓으며 일제히 산을 기어오른다

쫓기던 개나리들이 노랗게 연막탄을 쏘며 뒷산 너머로 달아나고

부상당한 동백꽃들이 피를 뚝뚝 흘리며 나뒹굴고 있다

바야흐로 봄 산은 치열한 교전 중

머잖아 초록이 고지를 점령할 것이다

(한국동서문학 봄)

시작노트

우리는 봄에 꽃들이 피어나는 모습을 보며 그저 아름답다고 말하지만, 사실 그들은 치열한 전쟁을 치르고 있는 것이다. 꽃이 피는 행위는 '나 여기 이렇게 있소'라는 꽃 나름의 존재의 현현이기도 하지만, 벌과 나비를 불러들여 열매를 맺기 위한 생명현상의 일종이기 때문이다. 이렇듯 상상력은 세계의 인식을 바꿔놓는 위대한 힘을 지니고 있다.

김 선 태 《현대문학》으로 등단. 시집『간이역』『살구꽃이 돌아왔다』『햇살택배』등이 있음. 시작문학상, 송수권시문학상 등 수상. 현재 목포대 국문과 교수. ksentae@hanmail.net

김성춘

파초일기

– 홀로 있는 청개구리가 아름답다

며칠 전 일이다
집 식구 청와 보살 한 분 밤새 사라졌다가
한로가 지난 오늘 아침
마실 갔다 돌아오듯 다시 왔다
반가웠다 귀여운 손녀 같다
문구멍으로 살며시 들여다보니
백만 불짜리 가을 햇볕 데불고 젖은 몸 말리고 있다
뜨거운 심장 허공과 손잡고 있다
기적 같은 하루가 힘겹다

오, 홀로 있는 청와 보살이 아름답다

가슴이 뛴다
병 깊은 몸이다
기적 같은 하루가
나의 적이다.

(시로여는세상 겨울)

시 작 노 트

작년 여름이었다. 파초 잎에 청와 보살 한분이 살았다. 밤이면 어딘가 사라졌다 새벽이면 다시 와 있었다. 땡볕 날에도 면벽 수련하는 스님 같았다. 내공이 대단해 보였다. 쓸쓸하면서도 단단하게 보였다. 시는 어디에 있을까. 사라진 그가 똥은 잘 싸고 있는지, 병은 없는지, 병이 깊은 내 몸이 그를 궁금해 한다.

김 성 춘 1974년 심상 제1회 신인상으로 등단. 시집으로 『물소리 천사』 『온유』 등이 있음. 한국가톨릭 문학상, 최계락문학상 수상. kimsungchoon@hanmail.net

김수열

폐가

삼십 년도 훌쩍 넘었지만 어제 같은 기억이 있다

표선에서 성읍 지나 걸어 걸어 낡고 반가운 적막한 초가 몇 채 만났다
물 한 모금 얻을까 하여 정낭 지나 안으로 들었다 삼방문도 정지문도 닫혀있었다
있수과? 있수과? 기척도 없었다 조심스레 삼방문을 열었다
아, 족대가 족대가 마루널 틈새 틈새로 족대가 시퍼런 족대가 퍼렇게 구짝구짝 초가를 뚫고 나란히 나란히 삼방 가득 족대가 서 있는 게 아닌가
숨이 탁 끊어지고 털썩 주저앉고 말았다 삼복인데도 등골이 서늘했다

대천동 어디쯤이었고 내가 만난 첫 번째 4·3이었다

(제주작가 여름)

시 작 노 트

1980년 여름이었다.

뜻을 같이하는 벗들과 제주섬의 웃한질을 걸었다.

한때 제주목과 대정현, 정의현을 잇는 길이었는데 지금은 풀만 무성한 길이었다.

걷다가 해가 저물면 노숙을 했다. 섬의 중산간에서 바라본 그때 그 풍광을 나는 지금도 잊을 수가 없다.

성읍 지나 성안으로 들어오는 길에 폐가를 만났다.

삼방문을 열었을 때 마루널을 뚫고 초가지붕을 뚫고 하늘로 치솟은 그 족대들은 지금도 내 기억 속에 선연하다.

무자년 겨울 소개령으로 마을을 비운 채 다시는 돌아오지 않은 흔적이었다.

나는 그렇게 4·3과 처음으로 마주했다.

김 수 열 1982년 무크『실천문학』으로 등단. 시집『꽃진 자리』『물에서 온 편지』등이 있음. 오장환문학상, 신석정문학상 수상. kimsy910@naver.com

김양희

빨간 장화

여인을 움직이는 목 짧은 고무장화
바람도 따라잡기 버거울 만큼 재바르다
바퀴를 달아놨을까
소리보다 먼저 온다

밥집 문을 닫는 무교동 아홉 시가
바닥에 주저앉아 하루를 벗겨낸다
장화 안
투명 비닐봉지
까만 양말 하얀 발

어떻게 살아냈는지 다 말하지 않아도
불어터진 발 무늬 찍히는 바닥은 안다
첫새벽
눈밭 질러간
어미 노루 발자국

(시조미학 겨울)

시 작 노 트

덧댄 마루에 털썩 주저앉아 하루를 벗어본 사람은 안다.

첫새벽 눈밭을 질러가는 어미 노루발에 빨간 장화를 신겨주고 싶다.

김 양 희 제주도 한림 출생. 2016년 《시조시학》, 2018년 《푸른 동시놀이터》로 등단.
hope-hi@hanmail.net

김영찬

마라케시의 구둣방

나뭇잎을 붉게 물들여 무엇 하시게요 멀쩡한
종이에
글을 남겨서 뭐 하시게요?

낯선 곳에 가서 구두 탓만 한 것 부끄럽다

가고 싶은 곳 나대다가 구두 굽 닳아버리면 그만
더 이상 갈 수 없다고 삐쩍
길바닥에 나뒹굴 때
바보 멍청이 같았던 헌 구두가 오히려
똑 부러지게 철학자답지 않던가

붉나무는 가을이 오기 전엔 절대로 낯붉히지 않는다
알면서도
얼간이처럼 헌 구두 탓이라니

오늘 일과는 끝, 잘 가라!
온종일 나를 따라다닌 발자국들아, 너희도 이제 좀
쉬어야하지 않겠니
Good Night 이라고 말해도 충분한 시간이
구두밑창에 깔린다

자, 이제 불편했던 대낮에게 이만 안녕!
나를 따라온 그림자와 함께 꺼져줘, 라고 함부로
말하는 건
 버르장머리 없어 기분 나쁜 일

이것 봐요, 헛 똑똑히 아가씨! 구두코가 언제 어떻게 닳는지
붉나무가 언제 단풍들어 얼굴 붉혀야 하는지
물비린내에 콧등 깨질 일만 남았지!

개똥지빠귀 꼬랑지에 개똥 묻어날 연휴는 대책 없이
떠밀려가고
시시콜콜 따지고 살아야할 이유가
뭐냐고 묻는다면

꽃의 이름으로 꽃향기 뿌리고 다닐 명분을 찾아서

 사막체험 1박 2일 코스 :
 마라케시 – 메르주가 – 마라케시

 사막 ·유목민 천막체험 2박 3일 코스 :

마라케시 – 메르주가 – 페스

오늘밤 마라케시로 떠나 나의 생애 가장 저급한 가죽신을
경배하기 위한
구둣방부터 찾을까

(시와표현 12월)

시 작 노 트

나는 새벽에 핀 첫 장미를 꺾듯이
가브리엘 가르시아 마르케스의 〈콜레라 시대의 사랑〉을 펼친다.

소설 밖에서 한 문우가 '콜레라와 상사병은 왜 증상이 같은가' 라는 말은 듣는 둥 마는 둥 파라마리보 산 앵무새는 버르장머리가 없군! 긁적이다가 '한 송이 장미로 나를 기억해 주오'에 밑줄 긋고 잠을 청한다.

김 영 찬 충남 연기 출생. 2002년 계간 《문학마당》으로 등단. 시집 『불멸을 힐끗 쳐다보다』 『투투섬에 안 간 이유』 등이 있음. tammy3m@hanmail.net

김윤숙

안개지대

누군가 날 떼어 놓나 자꾸 길은 사라져

점멸등 저 한 점, 위로마저 멀어지는

산등성 내리는 안개 또 어디쯤에 와 있나

길을 놓쳐 드러난 침엽수림 바리게이트

닿을 수 없는 손길이 저렇듯 빽빽하다

텅 비어 못 받아들인 안개의 벽, 틈새 젖는다

(제주시조 27호)

시 작 노 트

때론 내안의 길에서 길을 잃는다.

천백도로 주행이었다. 한 치 앞도 안 보이는 안개, 잠시 걷혀 나타난 침엽수림은 더욱 황당하게도 앞을 가렸다. 눈을 씻고 번쩍 든 정신에 거리감을 직시했다. 저 수림과 수림사이의 간격, 누군가의 강직함에도 틈이 있다는 것을 새삼 인식했다. 먼저 스며드는 일, 사람다움이었다. 서서히 드러나는 길. 안개 걷힌다.

김 윤 숙 제주 출생, 2000년 《열린시학》으로 등단. 시집 『가시낭꽃 바다』 『장미 연못』 『참빗살나무 근처』 『봄은 집을 멀리 돌아가게 하고』 등이 있음. 시조시학 젊은시인상, 한국시조시인협회 신인문학상 수상. hayonnk@hanmail.net

김일연

폭포

산이 높을수록 까마득한 물의 깊이

그래도 길은 하나 주저할 일 있을까

절경은 뛰어들면서 만드는 것이라오.

(정형시학 가을)

시 작 노 트

엄청난 크기의 폭포.

물이 대붕이 되어 구름 같은 날개를 편다. 하늘을 가리는 무수한 물방울의 폭죽. 아득한 벼랑을 아무런 주저도 없이 전속력으로 치달릴 때 물은 날개를 단다. 삶의 두려움을 잊게 하는 그런 몰두. 절경은 만들어지는 것이 아니라 만드는 것이다.

김 일 연 1980년 《시조문학》으로 등단. 시집 『명창』『엎드려 별을 보다』『너와 보낸 봄날』, 시선집 『아프지 않다 외롭지 않다』『꽃벼랑』 등이 있음. ilyeon2003@hanmail.net

김종태

안개의 방

아무런 속삭임도 들리지 않는 밤이 있었네 어떤 슬픔도 기다림을 만들지 못하는 밤이 있었네 아무런 의미도 존재하지 않는 밤이 있었네 영원히 철들지 않는 밤이 있었네 문틈의 바람이 협심증을 앓는 계절이면 어김없이 안개는 낮은 포복으로 오네

아 흔들리다가 멈추어버린 흑백모빌, 종이 나비의 날갯짓에 순은의 등불이 부서져 내리네 멈추어버린 오디오에 빨간 낙엽 부스러기가 지난 계절의 날벌레처럼 날아 들어오네 온기 없이 보일러가 돌아가는, 오래된 기억이 꾸물거리는 작은 방이여

거리의 상점은 불빛을 닫아버린 지 오래고 입김을 불며 지나가는 사람들의 목에는 키보다 긴 목도리가 감기었네 가로수의 나무껍질마다 이별하려고 만난 연인들의 엷은 미소가 스치었네 수북했던 열매의 냄새들은 백악기 화석 속으로 사라진 걸까!

이제 가방을 닫으며 낡은 유곽을 떠나야 하네 잿빛 외투의 옷깃을 여미며 바람 부는 창문을 열어야 하네 멀리서 들려오는 때늦은 순찰차의 사이렌 소리, 이제는 잊으라 왼쪽 볼이 부어오른 얼굴이여 새벽안개가 스미는 고속도로변의 작은 방이여

(시와표현 12월)

시 작 노 트

우리는 방에서 태어나 언젠가 방에서 죽을 것이다. 어느 시간에는 나 혼자서 고독을 감내해야 하는 방, 때로는 너와 내가 함께 머물고 있는 방, 때로는 수많은 영혼들과 대화를 나누며 살아가는 방. 방은 우리 삶에 안식을 주는 피안인 동시에 초월할 수 없는 고뇌의 산실이다.

김종태 김천 출생. 1998년 《현대시학》으로 등단. 시집으로 『떠나온 것들의 밤길』 『오각의 방』 등이 있음. 청마문학연구상, 시와표현작품상, 문학의식작품상 수상. 현재 호서대학교 교수. bludpoet@hanmail.net

김중일

나무는 나뭇잎이 꾸는 꿈, 나는 네가 꾸는 꿈

계절과 계절의 갈피에 바람과 바람의 사이에 서로 잊고 떠돌던 새털 같은 나뭇잎들이 한날한시 한곳에 다시 함께 모이는 꿈을 꿨다.
나무는 나뭇잎이 꾸는 꿈.
꿈에서 깨면 나무가 사라지는 꿈.
지구는 나무들이 꾸는 꿈.
꿈에서 깨면 지구가 사라지는 꿈.
누구도 하나도 기억나지 않는 꿈.

나는 지금, 옥상 바람에 헝클어진 내 머리카락이 꾸는 꿈.
지금 나는, 무수한 내 머리카락 같은 날들을 함께한 네가 꾸는 꿈.
내 손을 잡은 네 두 팔, 열 손가락이 꾸는 꿈.
내게 오는 네 두 다리, 무수한 발걸음이 꾸는 꿈.
꿈이 깨면 내가 사라지는 꿈.
나는 네게 하나도 기억나지 않는 꿈.

슬픔이 막 지나간 무방비 상태의 내 눈언저리를
너의 잠이 소처럼 두터운 혀로 핥는다.
식탁 앞에서 입안에 침이 돌듯 눈언저리에 눈물이 고인다.

나무는 나뭇잎이 꾸는 꿈.

나무를 놓칠까봐 꼭 붙잡으려, 바람은 일년 내내 온 힘을 짜내 나뭇잎들을 구부려왔다.
결국에 떨어진 나뭇잎들을 밟지 않기로 한다.
서로를 꿈꿨던 일들을 하나도 잊지 않으려, 나뭇잎을 밑창에 붙이고는
나는 죽은 사람 산 사람 다 같이 살아가는 이 시 속을 한걸음도 나가지 않기로 한다.

(모든시 봄)

시 작 노 트

언제부터인지 모르지만 나는 죽은 사람들이 없으면 살 수 없는 사람이 되었다. 죽은 사람들을 생각하고 그리워하고 그들이 죽기 이전보다 더 곁에 있는 사람이 되었다. 물론 그들에게는 내가 죽은 사람일 것이다. 아니면 아직 태어나지 않은 사람이거나. 서로의 존재를 한순간에 사라지게 할 만큼 그립고 그리운….

김 중 일 2002년 《동아일보》 신춘문예로 등단. 시집 『국경꽃집』 『아무튼 씨 미안해요』 『내가 살아갈 사람』 『가슴에서 사슴까지』 등이 있음. ppooeett@naver.com

김지녀

개미에 대한 예의

개미로 태어나지 않았지만
나는 개미만큼 작아져
마음을 받치고 있는 얇은 다리
종일 방향을 바꾼다
김밥 한 줄이 왜 이렇게 긴가, 하고 멈췄다

거리엔 바삐 다니는 사람들이 줄지어 다녔다
그 대열에 합류하자 나는 개미보다 구멍을 잘 팔 것 같아
안녕하세요. 저는 시를 쓰는 개미입니다
예의바르게 인사할 뻔했다

다음날 놀이터에는 역시 나와 개미 그리고 가끔 우는 새뿐이었다
개미가 발등을 타고 내게 기어오를 때
내 다리가 살아있어
내 귀가 간지러워
그리고 가끔 아이들은 개미 밟는 일을 즐거워하며 뛰어다녔다
개미의 움직임을 보고 있으면
삶은 더듬이를 세운 앞이 아니라 뒤나 옆에서
느닷없이 불구가 된다는 것
단순하고 터무니없다

나는 밟혀 죽은 개미들을 모아
아무도 모르는 구멍 속에 넣어주었다
새가 울었다

구멍을 보면 밤이 오는 걸 느꼈다 침대에 몸을 눕히고 파묻히는 기분으로 잠들었다 땅이 움직인 날에, 가로수가 바람에 뽑힌 새벽에, 구멍은 사라졌다 더 커지기도 했다 구멍은 구멍으로 연결되어 어디로 가든 구멍, 꿈에서 개미보다 많은 발로 기어 다녔다 아무 일도 안하고 수개미처럼 교미 후에 죽었다

나는 사람으로 태어났지만
내 하루하루는 개미가 물고 가는 나뭇잎 쌀알보다 작고 가볍다
내가 정말 깨어난 걸까
내가 정말 사랑한 걸까
정말
정말로 내가 사람일까

어제 먹다 남은 김밥에선 벌써 상한 냄새가 난다

(시와표현 11월)

시 작 노 트

개미보다 작게 움직이는 삶인데
개미보다 많이 먹고
개미보다 많이 화내고
개미보다 많이 법석을 떤다

어디로 가는지 모르면서
자주 방향을 바꾼다

다르지 않다는 걸 알거면서
다를 거라는 헛된 마음으로

김 지 녀 2007년 《세계의 문학》으로 등단. 시집 『시소의 감정』, 『양들의 사회학』 등이 있음. yamsi97@hanmail.net

김희업

텃밭은 가깝고 해변은 멀다

지나던 바람이 나뭇잎을 반복해 들어 올리고 내린다
온종일 개미가 이동한 거리를 떠올려보라
어찌 반복이 지루하다고만 하겠는가

오늘은 어제보다 심장이 한 박자 늦게 뛰었는데
온종일 뒷걸음질 치다 멀리 못 가 제자리로 돌아왔다

아이의 울음이 틈새 없이 새어나오고 긴 시간
아이와 울음이 한 몸일 때
아이도 울음도 지쳐갈 때
우리 모두 우울의 주인이 되었다

비가 오기 전의 하늘은 어딘지 모르게 긴장한 낯빛이라,
말을 걸 수가 없다

성격이 불같은 사람이 물속에 뛰어드는
모순된 시절
어떤 심지로 물속 불을 밝히려고 했을까,
잔잔한 외침을 경청하려고 했을까 강의 품에 뛰어들어

과거가 되지 않으면 안 되는 어제의 운명

시계가 반 바퀴를 돌아
우리 모두 하루의 반을 똑같이 써버렸다

하루가 눈꺼풀로 풀리며,

내일이 밀려온다
내일이
내 일처럼 밀려온다

도망치려 해도
텃밭은 가깝고 해변은 멀다

(모든시 겨울)

시 작 노 트

존재와 시간에 대해 돌아본다. 과거의 시간이 그러하듯 앞으로 다가올 시간은 어떤 견딤의 연속이 될 것인가. '해변'은 일상의 시간을 초월한 미지의 장소. 어쩌면 가지 못하는 곳이라서 가고 싶은 곳인지도 모른다.

김 희 업 1998년 《현대문학》으로 등단. 시집 『비의 목록』 『칼 회고전』 등이 있음. 천상병시상 수상. hanakim3@hanmail.net

류인서

안경

안경을 어항이라 말하는 늙은 소년이 있다
그는 여기다 송사리와 갈겨니 버들치 치어들을 키운다
살얼음 낀 들판과
초겨울 거리의 꽃배추도 키운다

그의 어항은 새장도 자전거도 아니지만
부엉이나 백일홍, 사막의 달까지 그가
몰래 키우는지 어떤지는 내가 알지 못한다

식전의 포만과 식후의 공복 사이에
그가 놓치곤 한다는 그 작은 물고기들은
들을 지나는 개울 따라 강으로 가는가

소년은 지금 어디에 숨어 있나
저녁이 흘러나오는 서랍에 있나
다른 안경을 가진 낯선 이로 서 있나

그를 기다리는 어항은
풍경을 한정하는 말랑한 갈색 수정체,
이음새 없는 고요를 안고 있다
문 닫은 날의 인공호수처럼

표지만 남아있는 두꺼운 이야기처럼
비밀스럽기도 하다

(현대시 10월)

시 작 노 트

소년스러운 얼굴에 어울리지 않게 그는 심한 원시안이었고 자주 지독한 독설가였다. 릴케와 카프카와 김춘수와 앙드레 말로를 그에게서 들었다. 교실 창가에 있던 동그란 어항은 커다란 물방울 같았다. 두꺼운 안경알 뒤에서 유별나게 크게 움직이던 그의 눈동자. 그 눈을 피해 자주 어항이나 보고 있던 창가 자리의 소심한 학생, 나,

류 인 서 2001년 《시와시학》으로 등단. 시집으로 『그는 늘 왼쪽에 앉는다』 『여우』 『신호대기』 『놀이터』 등이 있음. ryuksy@hanmail.net

문보영

충분한 성격

창문 앞에서 충분해진다

창문을 사용해 마음 같은 걸 만들고

창문을 사용해 마음 같은 것들을 치우거나

꿈을 꾸었다

날마다 꿈이 이어져서 삶이 두 배다

보고 싶다는 말로 겁준다

성격이 풍부해서 창문이 부서졌고

부수니 복잡한 것이 탄생했다

너무 아픈 장면은 꿈이 알아서 생략하니까

방금, 간발의 차로 네가 먼저 슬펐나

창문으로 보호하려는 게 무얼까

마음 같은 건 없고

사랑하지 않는 것만 신뢰하는 게 재밌다

그것은 창문의 재능이기도 하다

(포에트리슬램 3호)

시 작 노 트

24시간이 동틀 녘인 나라와 24시간이 어스름인 두 나라밖에 없다면 어디에 살겠냐고 친구에게 물으니 그런 질문은 무의미하다고 말한다. 그런 나라가 존재한다 한들 우리에게 선택권 같은 게 주어질 리 없단다. 너는 시 쓰는 인간도 아닌데 어쩌다 그렇게 되었냐고, 나에게서 전염된 건지, 그게 이유라면 함께 건강해져 보자고, 마카롱에 죽고 마카롱에 살아날 수도 있는 인간이 되어보자고, 내 손을 잡으라고 말해보았다

문 보 영 1992년 출생. 2016년 중앙신인문학상으로 등단. 시집으로 『책기둥』 등이 있음.
openingdoor1@naver.com

민병도

겨울 대숲에서

무명바지 조각조각 허옇게 눈이 남은
겨울 대숲에 서면 서늘한 말씀 들린다
바람이 읽다가 놓친 목민심서 한 구절

나를 비우지 않고 어찌 너를 채우랴
마디마디 갇혀 있는 울음에 귀를 대면
죽간竹簡에 새기지 못한 민초의 피, 뜨겁다

쓰다만 자서전의 쓰다만 목차처럼
서걱서걱 쓰쓰싹싹 읽을수록 캄캄하여
천지간 무릎을 꿇고 혀를 잘근 깨문다

(시조21 여름)

시 작 노 트

낮빛 하나 흩트리지 않고 가지런히 서 있는 겨울 대숲을 보면 자하紫霞나 죽농竹農의 대 그림을 떠올리지 않더라도 공연히 숙연해진다. 웃자람을 멈춘 채 속을 비우고 세한의 그 푸름이 백설을 만났음에랴.

민 병 도 경북 청도 출생. 1976년 《한국일보》 신춘문예로 등단. 시집 『들풀』『장국밥』『만파식적』 등이 있음. 계간 《시조21》 발행인. mbdo@daum.net

박권숙

종말이 화사하다

마지막 꽃을 참하고 완결한 적막처럼

날아가 버린 것이 새뿐이 아니라면

유정한 마침표 하나 세상 밖으로 던져진다

대낮에도 눈 부릅뜬 별이 다 보고 있다

낭자한 빛의 여백 낙화가 여닫을 때

꽃보다 만발한 허공 종말이 화사하다

(발견 여름)

시 작 노 트

꽃이란 꽃나무가 긴 겨우내 혹한의 제 운명을 이겨내고 혼신의 성취를 이룬 결정체이다. 그러나 그 꽃을 마지막 한 송이까지 세상 밖으로 다 놓쳐버린 다음에야 꽃나무는 적막을 완결한다. 낙화를 볼 때마다 한 세계가 닫히고 또 한 세계가 열리는 빛의 문을 생각한다. 보이는 것에서 보이지 않는 곳으로 문을 여닫는 낙화, 그 종말이 꽃보다 더 화사한 까닭이다.

박 권 숙 1962년 경남 양산 출생. 1991년 《중앙일보》 중앙시조지상백일장 연말장원으로 등단. 시집 『시간의 꽃』 『뜨거운 묘비』 등이 있음. 중앙시조대상, 이영도 시조문학상, 노산 시조문학상 등 수상. mariapks@hanmail.net

박기섭

꽃의 서사

꽃의 하복부엔 범람의 기억이 있다
전력 질주 끝에 터지는 모세혈관
겹겹이 오므린 시간의, 그 오래고 먼 기억

피를 흘리면서 황급히 피었다가
피를 닦으면서 서둘러 지기도 하는
꽃이여, 뉠 곳도 없는 그대 전라의 무게여

꽃의 낯바닥엔 짓무른 자국이 있다
신음을 삼키면서 혀가 혀를 물고
쥐었다 놓는 순간에 바스러지는 꽃의 서사

(정형시학 여름)

시 작 노 트

전력 질주 끝에 피는 꽃. 그러나 그 꽃의 서사는 찰나의 기억, 찰나의 혈흔이다. 겹겹이 오므린 시간 속에 전라의 무게를 내려놓는 꽃.

박 기 섭 1980년 《한국일보》 신춘문예로 등단. 시집 『키작은 나귀타고』『묵언집』『비단 헝겊』『하늘에 밑줄이나 긋고』『달의 문하』『각북』『서녘의, 책』 등이 있음. haengongdang@hanmail.net

박시교

빈센트 반 고흐 생각

살아서 단 한 점만 팔렸던 가난한 화가

지독한 외로움에 갇혀 살며 '혼자가 아니라서 다행'이라고
피붙이 동생 테오에게 668통의 편지를 썼던 화가 스스로
자신의 귀를 자르고 끝내는 권총 자살로 생을 마감한 화가

형형한
자화상 속 저 눈빛
해바라기 피웠어라

(문학청춘 겨울)

시 작 노 트

파리 외곽 몽마르트 언덕을 오르는 기슭 고흐의 낡은 아파트 앞에서 나는 한참을 서성이며 그를 기다렸지만 끝내 만날 수가 없었다. 우리 둘 사이의 시간차가 너무 멀었기 때문일까?

박 시 교 경북 봉화 출생. 1970년 《현대시학》으로 등단. 시집 『독작』『아나키스트에게』『13월』 등이 있음. sigyo@naver.com

박은정

악력握力

꽃병의 물이 썩어간다 나는 누웠다 창밖에선 날카로운 감탄사들이 들려온다 오토바이 시동 소리가 퍼지고 개들은 더위 속에서 조금씩 미쳐간다 나는 눈을 감고 생각한다 이 폭염 아래서 내가 쓸 수 있는 글은 무엇일까 노래는 한 곡 반복된다 주먹을 쥐면 모든 것들이 빠져나가는 소리, 유년의 침울한 내가 옆에 눕는다 넌 변한 게 없구나 내 오른뺨을 찰싹 때리는 소리 나의 슬픔은 맞아도 싸다 눈물이 귓속으로 떨어지는 동안 이 방은 안전한 어둠이다 인중에 땀이 맺힌다 눈물이 땀과 섞인다 이 물질은 이제 무엇으로 연동되나 나는 걷고 있었다 부유하고 있었다 어떤 습관과 함께 나는 나로 인정받고 있었다 희미하게 방 안을 맴도는 기억들이 있다 나는 새장에 갇힌 새를 보며 세계의 종말에 대해 말하고 있었다 등을 돌리면 엄마가 걸레로 바닥을 훔치고 있다 엄마는 반복되고 있었다 안방에도, 거실에도, 부엌에서도, 엄마, 머지않아 우린 다 사라질 거야 오후가 저물도록 새장의 새는 노래하지 않는다 나는 어둔 거실에 앉아 무언가를 중얼거리고 있다 그것은 노래도 아니었고 한숨도 아닌 어떤 낯설음 같은 것이었는데, 그 낯설음 속에는 막 쓰기 시작한 잔혹사 같은 것이 도사리고 있었다 어떤 비유도 어울리지 않는, 그저 멈춤, 다가가기 전의 망설임, 자신의 목소리를 듣기 전의 불안감, 다시 주먹을 쥔다 아무것도 만질 수 없고 가질 수 없는 불가능한 기억, 손 안의 새가 날아간다 손 안의 야생이 달아난다 너는 너무 감상적이야 유년의 내가 왼뺨을 때렸다 그것이 어떤 문장인지 나는 모른다 그저 네네 말하며 무릎을 꿇었다 이 이상하고 서글픈 일이 나의 잘못만은 아니라고 생각하면서 다시 누웠다 그때 문득 노래 한 구절이 들려왔다 끝도 없이 목적도 없이 반복되던 노랫말이 들렸다 주먹을 다시 펴본다 짓이겨진 새가 노래한다 문드러진 꽃들이 후두둑 떨어져 내렸다

(서정시학 겨울)

시 작 노 트

손안에서 사라지는 것들을 본다. 모래알처럼 흘러내리는 것들을 보고 있었다. 아무리 힘을 주어 쥐어도 내가 가질 수 없는 것들을 생각한다. 필사적으로 놓치지 않으려고 할수록 내 손안의 것들은 점점 줄어들었다. 나의 유년과 나의 마음과 나의 문장이 막 쓰기 시작한 잔혹사 속에서 사라지고 있었다.

박 은 정 2011년 《시인세계》로 등단. 시집 『아무도 모르게 어른이 되어』 등이 있음.
frenzy8559@naver.com

박찬일

천사는 아들이 아니다

목을 길게 늘이라, 늙은 아들
하늘에 말씀이 새겨진다

아버지가 직접 말씀하신다
천사는 아들이 아니다
목을 길게 늘이라, 늙은 아들

늙은 애비와 죽은 어미를 확인하는 늙은 아들
천사가 아닌 조그마한 아들,
이마에 이마를 대고, 머리에 머리를 건너
좁지 않은 동굴. 우굴우굴한 동물

섬으로 가자, 큰 구멍으로 같이 가자

들어주는 천사가 아니다
애비와 어미와 늙은 아들의 合唱
들어주는 천사가 아니다

놀라지 말라, 늙은 아들 아버지가 직접 말씀하신다.
천사는 아들이 아니다.

(시인수첩 겨울)

시 작 노 트

벤야민의 공(功)은 '전체로서 사유'의 회복 가능성을 보여준 데 있다. 세계가 직선우주가 아닌, 곡선우주라 해도, '무한성이 아님'이라고 해도, '경계없음 Entgrenzung'으로 해서, 무한성의 혐의를 아주 벗지 못한다. 무한성을 '많음 Vielheit'으로서, 즉 성좌[들]로서, 포획한 것은 놀라운 상상력이다. 일일이 태양을 셀 수 없으나, 태양들의 성좌들을 셀 수 있는 것으로 해서—셀 수 있는 것으로 쳐서, 세계가 전체에 육박하는 것으로서 그 자태를 드러낸다. 비록 성좌들이 전체와 합치-합동하지 않더라도, 그 많음으로서 나머지 보이지 않는 것들을 짐작으로 그 많음 속에 둘 수 있다. 많음이 얘기하는 것에 포섭시킬 수 있다. 많음을 볼 수 있다. 그 '많음으로서 전체'를 짐작을 넘어 확신으로 얘기할 수 있게 했다. '많음'이 얘기하는 것이 몰락의 세계사일 때, '몰락의 세계사'(혹은 몰락의 우주사)는 그 많음으로 해서 진리가 된다. 몰락의 인류사—몰락의 자연사를 정당화시킨다.

박 찬 일 1993년 《현대시사상》으로 등단. 시집 『나비를 보는 고통』 『나는 푸른 트럭을 탔다』 『모자나무』 『인류』 『북극점 수정본』 『중앙SUNDAY-서울 1』 『아버지 형이상학』 등이 있음. 유심작품상, 박인환문학상, 이상시문학상 등 수상. 현재 추계예술대 문예창작과 교수. nabi56@naver.com

박현덕

벅수 정거장

벅수 뒤로 복사꽃 흐드러지게 피었다
희미해진 기억처럼 길은 더 넓어지고
버스가 멈춘 정거장, 사람들 북적인다

환한 마음 허하게 꽃 하나가 떨어진다
누군가는 시간에 등 떠밀려 버스를 타
밀감빛 하루 끝물에 뼈가 더욱 시린다

봄 여름 가을 겨울 깊어진 흉통만큼
바람센 길 위에서 투명한 잠에 닿아
간간이 눈을 감으니 꽃비가 몰아친다

벅수: 마을 어귀나 다리 또는 길가에 수호신으로 세운 사람 모양의 형상.

(시조시학 여름)

시 작 노 트

시골의 신작로를 버스 타고 지나가는 길에 보았다. 길가에 돌장승이 서 있는 것을. 마을 사람들이 돌장승 옆 의자에 앉아 버스를 기다리고 흐드러지게 핀 복사꽃처럼 웃을 머금고 있었다.

그 벅수는 오랜 세월 그 자리에 서서 많은 것을 가슴으로 받아 들이고 때론 바람을 불러 멀리 보냈을 것이다. 기억의 모서리에서 지워지지 않는 풍경을 포착해 형상화했다.

박 현 덕 1967년 전남 완도 출생. 1987년 《시조문학》 1988년 《월간문학》 신인상으로 등단. 시집 『야사리 은행나무』 등이 있음. 중앙시조대상. 오늘의시조문학상 등 수상 . '역류' 동인. poet67@hanmail.net

박형준

무덤에 가는 사람

추석 지나
추수도 지나
누런 국화 한 다발을 가슴에 안고
무덤에 가는 한 사내

바람에 마른 잎이 흩어져도
수수밭 가를 지날 때는
누런 이를 드러내고 웃는 농부들 떠올라
수런대는 옛이야기 듣는다

저기 텅 빈 들판 너머
깊은 고요가 감도는 봉분에
꽃을 놓아주러 가는 발걸음
이미 이슬처럼 가볍다

노을은 수숫대 끝에 맺혀
피 한 점이 더 붉은데 가을바람
속 안이 따뜻해
메아리가 그치지 않고 흘러나온다

(시에티카 하반기)

박 형 준 1966년 전북 정읍 출생. 1991년 《한국일보》 신춘문예로 등단. 시집 『나는 이제 소멸에 대해서 이야기하련다』『빵 냄새를 풍기는 거울』『물속까지 잎사귀가 피어있다』『춤』『생각날 때마다 울었다』 등이 있음. agbai@naver.com

박희정

전신마사지

오도카니 누운 몸, 온기를 다 잃었다

나를 닦는 만큼 또 나를 놓치는 일

그다지 달갑지 않았다, 개운하지 못했다

맘대로 다루다가 탈이 나서야 드러눕는

끝내는 후회하고 조금은 위로하며

빈 마음 둥글게 말아 자근자근 만졌다

자신에게 약속하고 상대에게 미안했을

팍팍한 일상 속에 켜켜이 이는 각질들,

다저녁 무딘 감각으로 처절하게 매만졌다

(한국동서문학 여름)

시 작 노 트

힘들어서야 몸에게 미안했고 몸을 맡기고서야 마음이 아팠다. 몸과 마음, 그 둘레 매만지며 후회했다.

박 희 정 2002년 《서울신문》 신춘문예로 등단. 시조집 『길은 다시 반전이다』, 『들꽃사전』, 『마냥 붉다』, 시 에세이 『우리시대 시인을 찾아서』 등이 있음. 오늘의시조시인상, 중앙시조대상 신인상, 청마문학상 신인상 등 수상. misshelp@hanmail.net

몬순

줄무늬 가득한 파란 바다야 비가 내렸고 춥고 어둡고 모두 돌아가버렸어
맨발로 모래를 밟으며 울기엔 너무 이르거나 늦었다고 빛속에서나 어울릴 일이니까

그녀의 이름은 호프였고 나는 그 이름이 마음에 들지 않았어 그녀의 이름이 주드였다면 그녀의 이름이 마리였다면 그녀의 이름이 수잔이었다면
그녀를 더 사랑했을 텐데 그녀를 부를 때마다 이상한 기분에 사로잡혀 호프, 호프라니

나는 무언가 잃게 되기를 열렬히 바랐어 그게 뭔지도 모르면서 더 잃을 것도 없으면서

나는 조롱이라는 제목의 긴 시를 쓰던 중이었고 그날은 바람이 세게 불어서

알 수 없어요 함께 본 영화 마지막 대사 죽음을 뒤집어 쓴 청록빛 물결

알면서 다 알면서 물을 수 없을 때 입술이 떨어지지 않을 때

절하고 악수하고 밥 먹고 술 마시고 인사하고 또 인사하고 반복

정말 너무 정말 너무 정말정말 너무너무 정말 너무 정말 너무 정말정말 너무너무 정말 너무 정말 너무 정말정말 너무너무

무색한 말들은 그녀의 허리 속에 숨기고 우리 손잡고 서로를 위로했지 죽은 사람 앞에서

풀숲을 S자로 기어가는 뱀
나뭇가지가 흔들리자 일제히 쏟아지는 잎
명사들이 온통 술렁이는 새벽이었고

몬순

경험한 적 없는 일에 대해서는 결코 완전히 알 수 없다고 믿어서 착한 사람들이 싫었어 웃는 얼굴을 찢어버리고 혀를 뽑아버리고 싶었어 완전한 악인이 되고 싶었어

나쁘다고 모두 손가락질하면
기쁠 거야

물처럼
기쁠 거야

네가 아 하고 입 벌리면 거기에는 감각할 수 없는 어둠이 있고

창문 위에 붙여놓은 셀로판지 빛은 그걸 만지며 반나절 예쁘게 놀고 나는 색색의 무늬 아래 누워 잠이 들었지

그 잠은 네 이름이었어

희망

기도 없이 숲은 엘리베이터 속에서 세상을 기다렸고 들어오는 사람과 나가는 사람들을 지켜보며 여전히 숲이었지

내 무늬를 지워줘 네가 나를 풀어줘 구해줘

몇 번이나 들었던 옛날 노래가 멀리서 들려왔고 제목이 기억나지 않았지 전화 걸어 말하고 싶어 뭐든지 말하고 싶어 세상의 모든 사랑을 찾아 네게 들려주고 싶었어 영원

골목길 끝
벽을 치며 우는 사람이 있었고
막 노래를 시작한 입술이 있었고

바닥에는 하얀 윤곽선만 남아 있었어

그 위를 밟고 지나가는 발들이 있었어

줄무늬 가득한 물과 바람을 끌어안고 나는 그걸 봐
단지 숲처럼

(현대시 10월)

백 은 선 1987년 서울 출생. 2012년 《문학과사회》 신인상으로 등단. 시집 『가능세계』 등이 있음. viesecretek@naver.com

서숙희

쇄빙선

우화를 꿈꾸는 나는 한 마리 갑각류
치명적인 욕망은 이미 극지에 들어
단 한 줄 비명까지도 안으로 가두었다

얼음마녀여, 더 단단히 주술을 걸어다오
거칠은 밧줄로 더 차갑게 결박해다오
두터운 그 침묵 앞에 절명시를 바쳤으니

거대한 한 덩어리 흰 문장을 다 깨고서
피 묻은 돛을 씻어 높푸르게 내걸면

마침내 소름처럼 돋는,
투명한
날개
날개

(좋은시조 여름)

시 작 노 트

겨울을 지나는 동안 거대한 얼음덩어리는 더 단단하고 두꺼워졌다.

투명한 날개를 얻기 위해 바쳐야 할 것들. 치명적인 욕망과 싸우거나 뜨겁게 껴안거나 화해하거나. 어쨌거나 연한 맨살로 오는 봄을 또 견뎌야 한다.

서숙희 1992년 《매일신문》《부산일보》 신춘문예로 등단. 시집 『물의 이빨』『아득한 중심』『손이 작은 그 여자』『그대 아니라도 꽃은 피어』 등이 있음. 백수문학상, 김상옥시조문학상, 이영도시조문학상, 한국시조작품상 등 수상. woomul35@hanmail.net

서홍관

핸드폰 번호 넣어주세요

경인방송에 내 고등학교 적 친구 박영근시인의 삶에 대해서
인터뷰를 했는데 다음 날 모르는 번호로 전화가 걸려왔다.

– 저 경인방송 듣고 펑펑 울었습니다.
– 아 그러신가요?
– 박영근시인이 노동자들의 이야기를 시로 썼는데 나중에 밥도 잘 안 먹고 술만 마시다가 결핵에 걸려 죽었다는 이야기 들으니 슬펐습니다.
– 박영근시인 시를 읽어보신 적이 있었나요?
– 제가 나이가 일흔 여덟이고, 정읍이 고향인데, 낮에는 국군, 밤에는 빨치산 하는 동네에 살았습니다. 주변 산에 불발탄이 많아서 잘못 만지다가 터져서 어릴 때 눈이 멀었어요. 갈 곳이 없어서 신학대를 갔다가 목사로 지냈고 지금은 은퇴했습니다. 시집이 점자로 나와 있지 않아서 읽지를 못했어요.
– 아 그러셨군요. 저희들이 박영근시인에 대해서 행사를 할 때 연락드릴게요. 그때 한번 오시겠어요?
– 기회 되는대로 만나서 이야기도 나누고 싶습니다.
– 그럼 저에게 연락처를 메시지로 남겨주세요.
– 제가 앞을 못 봐서 그런 걸 못해요.
– 아아……네…….

(문학의오늘 여름)

시 작 노 트

아, 나는 앞을 못 본다는 것이 어떤 것인지를 여전히 모르고 있었던 것이다. 다리가 없는 사람에게 스무 개의 계단이 얼마나 높은 산처럼 느껴지는지. 앞을 못 보는 사람이 버스를 타고, 길을 걷는 것이 얼마나 어려운 지. 듣지 못하는 사람들이 다른 사람들의 입술을 읽는 것이 얼마나 어려운지를. 내가 남들의 처지를 알아차리기가 얼마나 어려운 지를.

서 홍 관 1958년 전북 완주 출생. 1985년 《창작과비평》으로 등단. 시집으로 『어여쁜 꽃씨 하나』『지금은 깊은 밤인가』『어머니 알통』『아버지 새가 되시던 날』 등이 있음. 현재 국립암센터 가정의학과 전문의, 한국금연운동협의회 회장. hongwan@ncc.re.kr

선안영

섬, 페로제도에서

1.
눈밭에 서 있었는데 깨어보니 흰 꽃밭이다
흰 솜털 목도리를 열명길 풀 풀 펄럭이며
심연의 고막 없는 풍경을
몸 기울여 들여다본다

2.
숨죽인 울음이 풀모가지마다 흘러나오는 곳
비탈은 비탈을 달려 어디를 닿으려는가
어미의 벼랑을 닮은 섬은 섬을 또 낳고

빈 젖을 빠는 갓난이처럼 칭얼대는 바람 소리
구름떼의 말과 말은 만경창파 휘달리려고
눈꺼풀, 발끝까지 덮어도 불면뿐인 백지의 밤

3.
실금이 간 목숨들이 주저앉은 수목한계선
진흙을 치덕치덕 두 눈에 쳐 바르고
한 마리 야생의 바위에게
내 옷을 덮어준다

(광주전남시조 제17집)

시 작 노 트

봄을 마중 가고픈데
밤을 마중 가는 날이 더 많다.

잘 견딘 침묵 끝에
근사한 첫 문장이 탄생할 것이다.

선 안 영 전남 보성 출생. 2003년 《경향신문》 신춘문예로 등단. 시집 『초록 몽유』 『목이 긴 꽃병』 『말랑말랑한 방』 『거듭 나, 당신께 살러 갑니다』. 등이 있음. 중앙시조대상 신인상, 발견 작품상 수상. i1004sun@hanmail.net

성선경

글피

내일 모레면 몰라도 글피는 너무 먼 미래, 한 밤 자고 또 한 밤 자도 너무 먼 미래, 내일 모레면 몰라도 글피는 글쎄, 하루 지나고 또 하루 지나도 오지 않는 너무 먼 미래, 그새 두릅 잎은 너무 억세 먹지 못하게 되고 머위는 쓴맛이 더 받치지, 내일 모레면 몰라도 글피는 너무 먼 미래, 당신이 잠든 뒤 별들도 잠든 뒤 소곤거리는 소리, 내일 모레면 몰라도 글피는 너무 먼 미래, 한 밤 자고 또 한 밤 자도 너무 먼 미래, 아이들은 벌써 자라 저녁이 늦어도 돌아오지 않고, 나는 어제 한 약속도 종종 잊어먹지, 내일 모레면 몰라도 글피는 글쎄, 하루 지나고 또 하루 지나도 오지 않는 너무 먼 미래, 한 밤 자고 또 한 밤 자도 먼 미래, 다시는 돌아오지 않을 것 같은 그대, 내일 모레면 몰라도 글피는 글쎄.

(문학의오늘 겨울)

시 작 노 트

막연한 미래를 기다리는 일은 언제나 너무 힘이 든다. 내일이면 몰라도 글피는 글쎄, 너무 막막하다. 글피는 먼 미래다. 기다리는 일은 쉽게 익숙해지지 않는다. 언제쯤 우리는 기다리는 일에 익숙해질까? 우리는 저 막막한 기다림으로 늙는다. 영원히 올 것 같지 않은 글피를 기다리며 우리는 늙어간다.

성선경 1988년 《한국일보》 신춘문예로 등단. 시집 『까마중이 머루알처럼 까맣게 익어갈 때 』『파랑은 어디서 왔나』『모란으로 가는 길』『몽유도원을 사다』『서른 살의 박봉씨』『널뛰는 직녀에게』 등이 있음. 고산문학대상, 경남문학상, 마산시문화상 등 수상.
sunkung11@hanmail.net

육지것

섬 토박이들 사이에 이주민은
육지것으로 지칭된다
처음엔 어이없고 불쾌했지만
내막을 알고 나니 수긍이 갔다
입도 초기엔 입안의 혀처럼
곰살궂다가 차릴 잇속이 없어지면
돌연 안면몰수해버리는 얌체가
숱하기 때문이란다 반면
육지에서 유입된 배추는
고유명사처럼 육지배추라 부른다
쉬 무르지 않아 겨울철
장기저장이 용이한 까닭이다
섬에 건너와 환대받기까지
다만 묵묵히 본분에 충실했을
속이 꽉 찬 진녹빛 생 앞에서
마음 일부는 육지에 두고
몸뚱이만 섬에 부려놓은 채
마치 뼈를 묻을 것처럼
입만 나불댔던 섬살이를 돌아본다

배추만도 못한

(문학청춘 봄)

시 작 노 트

입도入島, 8년째다. 육지의 지인들로부터는 섬사람 취급인 반면, 섬사람들에겐 여전히 육지 사람이다. 아니 육지것이다. 몸의 거처보다는 마음의 거처를 중요시하는 까닭일 테다. 어떤 말도 괘념치 않는다. 다만 나 자신에게 바라기는 기약할 수 없는 이곳에서의 여정이 내내 후자이길. 그리하여 처음 느꼈던 홀림과 떨림과 설렘이 지속되길. 치명적 그리움에서 끝끝내 빠져나오지 않기를, 못하기를.

손세실리아 전북 정읍 출생. 2001년 《사람의문학》을 통해 작품 활동 시작. 시집으로 『기차를 놓치다』 『꿈결에 시를 베다』가 있으며, 산문집 『그대라는 문장』이 있다. 현재 제주 조천에서 서점&카페 〈시인의 집〉 대표. soncecil@naver.com

손진은

빗방울에 대하여

온다, 타던 가뭄 끝에 반가운 것들이
바람에 실려 몰려온다 물큰, 흙비린내가 건너오고
입 벌린 풀과 나무 대지가 얼싸안고
내 머리통과 손바닥을 때려대던 그들이
목멘 개울 바닥에 웅성댄다
물줄기의 가슴 온통 벌겋게 하는
저 경쾌하고 날랜 춤들
긴 주둥이의 개울이 저들 삼킨다고?
웬걸, 저 물 속 껄껄 웃는 작은 용사
중공군보다 더 많은 떼가
개울의 위엄을 만든다네
광야로 목젖 열어젖혀
풀뿌리 산 것들의 뼈를 일으켜 세운다네
먼저 온 이들 어깨 위에 호기롭게 퍼질고 앉아
강으로 제 몸 떠밀고 간다네
넘치는 개울의 당당한 일원이면서도
너스레 떨지도 않는 하늘의 저 싱그러운 아들들!
물이랑마다에 저이들 울음이 심겨 있다고
섣불리 말하지 말라
기껏 한 방울일 뿐인데
오래 지켜 본 자들은 알 것이다

뛰어내리는 저 무수한 발걸음의 긍지가
마침내 너른 강과 빛나는 나루를 만든다는 걸

(시인수첩 봄)

시 작 노 트

들판에서 비를 만났다. 내 머리통과 손바닥을 때리던 그들이 "목멘 개울 바닥에 웅성"대다가 "저 물속 껄껄 웃는 작은 용사"가 되어 개울을 넘치게 하고 호기롭게 "강으로 제 몸 떠밀고" 가는 것을 보았다. 그걸 두고 "기껏 한 방울"이라 말하는 이의 어리석음!

손 진 은 1960 경북 안강 출생. 1987년 《동아일보》 1995년 《매일신문》 신춘문예로 등단. 시집 『두 힘이 숲을 설레게 한다』, 저서 『시창작교육론』 등이 있음. 대구시인협회상 수상. 현재 성결대 교수. sonje1214@daum.net

손택수

흉터 필경사

이야기를 몸에 새기고 싶어서 흉터를 갖게 되었나 보다
살거죽을 노트로 내어주었나 보다
머리카락으로 가린 이마 위의 흉은 감나무 가지를 타고 놀다 떨어진 것이다
그날 아침에 너그 아부지 수저가 부러진 것이 어딘지 깨름칙했는데
결국 그 사단이 났지 뭐냐
할아버지는 읍내 차부 옆 약방까지 달려갔다 오시고
강변 밭 매러 갔던 할머니는 눈에 독가시가 돋아났다
하이고 손 씨네 귀한 첫손주를 잘 모시질 못했으니
내가 죽일 년이라 그 상처 아물 때까지 숨도 제대로 크게 쉬질 못하고 지냈구나
흉터는 다문 뒤에도 말을 한다
어떤 흉터는 다이빙을 하던 냇물의 돌을 기억하고
돌에 부딪쳐 까진 무르팍을 혀로 핥아주던 옆집 선자 누나를 잊지 못한다
돌이끼처럼 앉은 딱지를 상처가 나지 않게 뜯어먹던
물고기들의 입맞춤도 있다 각시붕어였지 아마
자신의 몸에 이야기를 파 넣는 필경사
어느 페이지엔 부끄러워서 혼자만 읽는 이야기도 있고
지워지고 지워져서 더는 읽을 수 없는 이야기도 있다

단벌노트에 쓰는 비망록 나달나달해진 페이지에 지우개똥 같은 때가 밀린다
아니, 지우개밥인가 그 사이에서 이 모든 이야기들이 나의 필생이라면 필경,
마지막 필경은 모든 기록을 불사르는 데 바쳐질 것이다

(문학의식 봄여름)

손 택 수 1998년 《한국일보》 신춘문예로 등단. 시집 『호랑이 발자국』 『나무의 수사학』 『떠도는 먼지들이 빛난다』 등이 있음. ststo700@hanmail.net

송재학

그림자

가끔 내 그림자가 앞뒤 둘이다 그들은 농담濃淡으로 나누어진다 앞 그림자는 엷어 그늘에 들어가면 실루엣처럼 경박하고 뒤의 그림자는 무거워 우울증과 비슷하다 흩어지고 모이니 벌거숭이 저들을 쉬이 호명하지 못하겠다 그림자의 눈치를 보며 조심하는 계단을 내려간다 난간은 순간 비틀거리며 그림자의 빈혈을 붙들지만 그림자도 계단을 놓칠세라 육신보다 먼저 이지러진다 잊었던 통증 여럿이 그림자를 으깬다 발목이 뭉개어져도 그걸 참아내자 그림자는 흔들리더니 겨우 하나가 된다 등의 육신을 떼어내지 못하니까 자세히 살피면 윤곽이 매끈하지 않다 그림자가 두통을 만지다가 흰 병실을 놓친다

(애지 가을)

시 작 노 트

초등 5년 때 처음 읽은 무협지의 세계에서 가장 나를 매혹한 것은 무술 초식을 설명하는 사자성어였다. 몸을 가볍게 해서 풀을 밟으며 날아다니고(草上飛), 부평초를 디디며 물 위를 건넌다는(登萍渡水), 심지어 허공을 걸어 다니는(凌空虛渡), 환상의 이세계였다. 눈 위를 걸어도 흔적이 남지 않는다는 답설무흔은 아직도 나를 설레게 하는 경신술이다. 이후 소년은 티베트와 당시와 실크로드의 문을 노크했다.

송 재 학 1955년 경북 영천 출생. 1986년 계간 《세계의 문학》으로 등단. 시집 『얼음시집』 『살레시오네 집』 『푸른빛과 싸우다』 『그가 내 얼굴을 만지네』 『기억들』 『진흙얼굴』 『내간체를 얻다』 『날짜들』 『검은색』 등이 있음. den55@naver.com

신경림

살아 있는 것은 다 아름답다

살아 있는 것은 아름답다
하늘을 훨훨 나는 솔개가 아름답고
꾸불렁꾸불렁 땅을 기는 굼벵이가 아름답다
날렵하게 초원을 달리는 사슴이 아름답고
손수레에 매달려 힘겹게 비탈길을 올라가는
늙은이가 아름답다
돋는 해를 향해 활짝 웃음 짓는 나팔꽃이 아름답고
햇볕이 싫어 굴속에 숨죽이는 박쥐가 아름답다
붉은 노을 동무해 지는 해가 아름답다
아직 살아 있어, 오직 살아있어 아름답다
머지않아 가마득히 사라질 것이어서 아름답다
살아 있는 것은 다 아름답다

(창비 겨울)

신 경 림 1935년 충북 충주 출생. 1956년 《문학예술》로 등단. 시집 『농무』 『쓰러진 자의 꿈』 『어머니와 할머니의 실루엣』 『뿔』, 장시집 『남한강』, 산문집 『신경림의 시인을 찾아서 1·2』 등이 있음. 만해문학상 등 수상.

신미나

흰 개

다리 위에서
흰 개가
내 쪽을 바라봤을 때

나는 알아차렸다
그 개는 오래전에 죽은
나의 할머니인 것을

할머니는 따라오라는 듯
걸음을 멈추고
나를 돌아보았다

꿈에서도 할머니는
마르고 쓸쓸한 개

우리는 같이 걸었다
오래전에
그녀가 살았던 곳

우물 옆에 흙집
파꽃 핀 채마밭을

빨래터를 지나
언덕 위의 장로교회
논물이 반짝이는 논길을

좋겠다, 할머니는
다시 태어나지 않아도 되니까
이 다음을 내려놓았으니까

나는 할머니를
오랫동안 끌어안았다
품에서 흰 것이 조용히 빠져나갔다

눈을 떴을 때
따듯한 눈물이 귀로 흘렀다

(현대시 7월)

시 작 노 트

새벽에 자다가 깨는 일이 잦다. 가끔 베개가 젖어 있다. 나도 모르는 새 울고 있었구나. 그럴 때면 내 영혼이 어딘가에서 혼나고 돌아온 것 같은 기분이 든다. 풀숲을 헤치고 다니고 들어온 차가운 맨발을 만지는 것 같이. 가볍고 흰 그것이 무엇인지, 나는 잘 모른다. 옷깃에 붙은 도깨비풀을 떼듯이 나는 무심히 그 희미함을 헤아릴 뿐이다. 미명이 밝아오는 창밖을 본다. 하늘의 테두리가 조금씩 밝아오고 먼지의 작은 알갱이들이 황금빛으로 부유한다. 맞은편 아파트의 창이 오렌지빛으로 물들기 시작하면 서랍과 후추통과 안경은 부드러운 비로드 천 같은 어둠을 걷어 내고 아침을 맞을 것이다. 이 슬픔을 곧 잊을 것이다.

신 미 나 1978년 충남 청양 출생. 2007년 《경향신문》 신춘문예로 등단. 시집으로 『싱고, 라고 불렀다』 등이 있음. shinminari@naver.com

후일담

눈물을 없애면 기억이 사라진다
피와 숨을 들이켜며 진땀을 흘릴수록 두꺼워지는 것은
표정이다 끝났습니다 이제 그만 유모차를 끌고 집으로 돌아가세요
누군가 문을 두드리며 밤새 달려 다녔고 결말을 보지 못한 채 집으로
돌아가는 길은 그대로였으나 걷는 모양새는 저마다 달라졌다, 그리고 다음 날
그다음 날 온종일 일을 했지만 싸움은 아직 끝나지 않았다고

누군가 선언했다
핸드폰 속에서 옛 친구를 새 친구로 갈아치우고 아는 사람을 가려 만나고
모르는 물건을 사 쟁이고 집을 옮기고 행간을 바꾸어가며 병아리가 될지도 모를
아메리칸 브랙퍼스트를 곁들여가며, 부패한 것은 플롯이었는데
싸울 자들은 알고 나면 친구였다 무언가 잘못되어가고 있는 것 같아
어제까지만 해도 이유가 분명한 싸움이었는데

창 너머 길 건너로는 무언가에 짓눌린 듯 몇몇
묵묵히 서 있고 더는 나빠질 영혼도 없다는 듯 엷은 초록빛으로

따사로운 볕이 드는 광장 한편에는 생장을 접고 속생각에 사로잡힌
나무들, 말라 비틀린 이파리는 영문 모를 바람을 타고 하늘로 솟구치고
달려가며 찢어지는 구름 틈으로는 변함없이
빛살이 내리긋는데

길바닥은 여전히 차고 누군가는 여전히 더 많은 땔감이 필요하다
모두가 저마다 타당한 결말을 가지고 있는데 그다음은?
그다음은 어떻게 되었는가? 모두가 아는 그대로
그다음 이야기는 너무 슬퍼서 읽을 수가 없다 기가 막혀서
읽을 방법이 없다, 어쩌면 모두가 실수한 것
이야기에 대해서라면

모두가 무지했지만 염치가 있었고
저마다 충분히 대가를 치르고 싸웠기에 즐거웠으며
이야기는 대부분 날을 새워가며 치러졌기에 밤은 자정을 지나고 서야
움직이기 시작했고, 어둠 속에 손을 뻗어 서로의 표정을 더듬으며
줄거리가 어떻게 되어가는지 혼잣손으로 셈하고 셈하며
그 무성했던 소문과 노래와 냄새들 사이로 아이들은 자라났고

집을 잃은 자들처럼 계절이 돌아와도

기어이 침묵으로
거두어지는 대단원, 맨발로 서릿발을 밟으며
바란 적도 없는데 씻은 듯 나아버린 이적異蹟 속의 병자처럼
완전히 물오른 증오와 열기로 후끈거리는 대기 속에 뿌리를 한 뼘
더 내리는 나무는 뼈가 시리다 그 광장에서
서리와 눈보라를 딛고 선 나무는 질려간다
온통 푸르스름한 정맥으로 뒤덮인 듯

미몽에 사로잡혀 사는 것이 삶이라면
하루하루가 혁명이고 창세기다 그래서 그다음은?
다음은 어떻게 되었는가? 이야기는 언제나 줄거리 바깥에서
등장인물들을 점지했다 새는 여전히 철탑 위에 앉아 울고
나무는 동상 아래로 뿌리를 뻗어 가는데 어쩌면
거기까지가 이야기의 얼개 또는 지도

역광을 쏟아붓는 길 위에서
끝없이 갈래를 치는 길 내음을 맡으며
이야기에 취해서 그 지독에 숨이 멎어서 누군가는
여전히 저만의 지옥에 꽃을 심는다, 그이의 몸뚱이에서

그이의 눈 코 입으로 촛농이 지글거리는 소리
고깃기름에 짚단이 타는 내음

꿀벌이 집을 짓고 개미가 굴을 파고
새가 둥우리를 올리듯 짓는 동시에 허물어지는 이야기
결말이 없는 흐름이 전부인 이야기 몇 줌의 흰 별을
얼음장 깔린 광장에 흩뿌리며, 정적 속에서
흐느낌은 더욱 선명한 메아리를 만들어냈다
서리가 소금처럼 내려앉은 뒷골목으로는 여전히
길을 재촉하는 촛불들

발뒤꿈치에서 길은 한 뼘씩 내려앉고
언젠가 모든 것이 한데 흘러들었던 광장을 되살리는
무서운 깊이, 촛농을 빠져나와 구름이 되어 비를 뿌리는
습기 그 비릿한 꿈속에서 목을 놓아 불렀던 이름들은
여전히 이야기 바깥에 있고
이제는 아무도 대답하지 않는다

사나운 꿈을 꾸었나 봐
자장가를 멈춰줘
싸움은 적당히 즐거웠고

대가는 이미 치렀다
다만 약간의 실수 약간의 계산 착오
실패는 없었다 주인공도 없었다 그리고 그다음은?
그다음 이야기는

너무 슬퍼서 울화가
치밀어서 읽을 수가 없다
읽을 방법이 없다 모두 같은 꿈을 꾸었는데 아무도
꿈이 강이 되어 흐르는 것을 보지 못한다
못할 것이다 살아 있는 한
그 꿈의 강변에는
지쳐 잠든 누군가가 숨을 헐떡이며 누워 있고
끝을 보지 못한 채 흘러가고 흘러나오는
이야기 이야기 다시 이야기.

(시와반시 가을)

시 작 노 트

그리고 언젠가, 망해가는 공화국의 마지막 인민처럼, 나는 썼다. 어쩌면 우리는 만 년 전에 일어났다고 여겨지는 상상 속의 전쟁 한가운데 현실을 기입해 나가고 있는 것인지도 모른다. 미몽에 사로잡혀서 사는 것이 삶이라면 하루하루가 혁명이고 창세기다. 현실보다 더 '현실적인' 후일담이 삶을 마저 쓰는 것일 수도 있다. 길바닥은 여전히 차고 누군가는 여전히 더 많은 땔감이 필요하다. 그다음은? 그다음 이야기는 어떻게 되었는가? 너무 슬퍼서, 울화가 치밀어서 읽을 수가 없다.

신 동 옥 2001년 《시와 반시》로 등단. 시집 『악공, 아나키스트 기타』『웃고 춤추고 여름하라』『고래가 되는 꿈』, 산문집 『서정적 게으름』 등이 있음. poetman77@hanmail.net

대성당

서 있다.

곧 종소리가 날아올 것이다.
손 흔들려고,
미리 끊어둔 표가 있는 것처럼 네가 있는 곳으로 날아가려고…… 기다리고 있는 것은 아니다.

장미꽃처럼 해가 진다.
서 있다.

장미넝쿨처럼 노을이 번져간다.

곧 종소리가 날아올 것이다. 내 몸속에, 뭉쳐져 있는 가시들이 붉게 켜지면……
이런 고백.
핏줄은 바람에 뽑혀 나뒹굴다 외진 웅덩이에 빠져버린 장미넝쿨처럼 몸속에 던져져 있다, 어쩌면 종소리처럼. 아직 떨어지지 않은 장미꽃처럼 심장은 박혀 있다.
어쩌면 종처럼,

서 있을게.

돌아올래? 장미 다발을 건네며……
그건 지구가 둥글어서 너에게 멀어지다 어느새 네 앞에 다시 서는 시간쯤.
시간이 길을 잃어버린 곳에서 그날의 우리는 추억이라는 교복을 입고 담배를 피겠지.
술병을 쓰러뜨리며,

여기는 스무살 같아. 같이 살지 않아도 괜찮아,
스무살인 곳에선.

말한다.
종소리보다 크게 그리는 화가는 없는데, 성당 천장에 그려진 장미 넝쿨은 좀 달라서
한번 일어났던 일이 마음속에서 다시 일어나고 또 일어나고 일어나고……

어떤 고백은 한 적도 없는데 끝난 적도 없다.
서 있으면

종소리가 날아와 내 몸속에서 나를 건져간다.

(문학사상 3월)

시 작 노 트

끓는 물에 조리를 넣어 멸치를 건져냈다. 건져내고 나서도 물속에서 끓는 것은 멸치였다. 내 몸은 다른 곳에 가 있는데 나는 여전히 여기서 끓고 있다.

신용목 2000년 《작가세계》 신인상으로 등단. 시집 『그 바람을 다 걸어야 한다』『바람의 백만번째 어금니』『아무 날의 도시』『누군가가 누군가를 부르면 내가 돌아보았다』 등이 있음. 97889788@hanmail.net

신철규

세화

우리는 끝을 보기 위해 여기에 왔다

흐린 수평선에 걸린 구름이 아랫입술을 깨물고

서서 죽은 물
하얗게 누운 비석

외계에서 온 사람들
우리는 서로에게 비밀이 되어
서로 먼저 등을 돌리라고 재촉한다
뒷모습을 보여 주기 싫어서
뒷모습을 들키기 싫어서

도대체 어디까지 가야 우리는 난민이 될 수 있을까
마음속에 일어난 난을 피해 우리는 어디로 망명해야 할까

어디까지 망가질지 몰라 두려운 사람들이 선을 긋는다

감은 눈 속에서 다시 한 번 눈을 감고
눈 속의 눈을 감고

입속에 갇힌 수백 마리 나비가 날갯짓을 하고 있다

죽이려고 하는 사람들 앞에서
살아남으려는 사람들은 어김없이 폭도가 된다

서로의 얼굴을 향해 고개를 돌리고 누워 있는 해골을 보았다
얼굴에서 살이 없어지면
모두 저렇게 표정이 사라질까
텅 빈 웃음만 남기고

서로의 고통스런 표정을 참아낼 만큼 그들은 사랑했던 걸까

해변을 걷다 보면 다시 또 여기로 오겠지
여긴 벗어날 수 없는 한 덩어리의 땅이니까

아이들은 모래사장에 나무 막대기로 그림을 그린다
두고 온 집과 보고 싶은 사람들을
윤곽만 남은 얼굴들을

성급하게 식은 용암은 구멍이 많은 돌이 되고
몸보다 앞서간 말들은 툭툭 끊기고

부러진 늑골 같은 구름들

동굴의 입구에서부터 기어온 매캐하고 검은 연기를 피해 도망쳐 나온 사람들은 해변으로 끌려왔다
그들의 눈이 마지막으로 향한 곳은 육지일까 바다일까

우리가 볼 수 없는 모든 빛*
우리만 볼 수 있는 어떤 빛

해변과 수평선 사이에 당신을 오래 세워두고 싶다

무지갯빛 슬리퍼 한 짝이 파도의 끄트머리에 걸려 밀려왔다 밀려간다

* 앤서니 도어의 소설 제목.

(창작과비평 가을)

시 작 노 트

아무것도 적혀 있지 않은 흰 비석(白碑)을 오래 바라보았다. 말없이 고통을 감내하고 침묵으로 증언하는 죽음들. 새하얗게 질린 비명들.

신 철 규 1980년 경남 거창 출생. 2011년 《조선일보》 신춘문예로 등단. 시집 『지구만큼 슬펐다고 한다』 등이 있음. 12340158@hanmail.net

신필영

봄이 온다

밤새 뒤척였구나 뜰 앞 산수유나무

겨우내 달고 살던 늦둥이 열매들을

젖 떼듯 내려놓았네, 발치께로 눈이 가네

흙 아래 더운 손이 너를 다독이면

어둠의 바깥으로 네 키도 자라겠지

나는 또 너 떠난 자리 꽃물 새로 앉힐 테고

(다층 봄)

시 작 노 트

눈 속에서도 보석같이 예쁘던 빨간 열매들이 어느 아침 일시에 땅위에 내려와 있었다. 조금은 투박하게 생긴 산수유나무가 남 먼저 꽃을 피울 채비를 하고 있는 것이다. 아직은 바람 끝이 차가운 날인데.

신 필 영 1983년 《한국일보》 신춘문예로 등단, 『우회도로입니다』 등이 있음. 이호우시조문학상 등 수상. pil0703@naver.com

안도현

무빙霧氷

허공의 물기가 한밤중 순식간에 나뭇가지에 맺혀 꽃을 피우는 현상이다

중심과 변두리가 떼어져 있다가 하나로 밀착되는 기이한 연애의 방식이다

엉겨 붙었다는 말은 저속해서 당신의 온도에 맞추려는 지극한 정신의 끝

이라고 해두자

멧조롱박딱정벌레가 무릎이 시리다는 기별을 보내올 것 같다

상강霜降 전이라도 옥양목玉洋木 홑이불을 시쳐 보낼 것이니 그리 알아라

(쿨투라 11월)

안 도 현 1961년 경북 예천 출생. 1981년 《대구매일신문》, 1984년 《동아일보》 신춘문예로 등단. 시집 『서울로 가는 전봉준』 『모닥불』 『그리운 여우』 『바닷가 우체국』 『너에게 가려고 강을 만들었다』 등이 있음. ahndh61@chol.com

안희연

터닝

손을 달라고 했더니 손인 척 발을 내민다. 살랑살랑 꼬리를 흔들며 나를 골똘히 들여다보는. 너는 머리끝부터 발끝까지 새카만 영혼이구나. 어쩐지 오늘은 개에게까지 나를 들킨 것 같다.

오늘은 바람도 나를 함부로 읽었지. 머리칼이 흩날릴 때. 밤송이처럼 후드득 떨어진 내가 있고.

그것은 감춰둔. 겉만 뾰족한 알맹이. 나를 줍기 위해 다가가면 저만치 굴러가버린다.

없다고 믿으면 그만일 조각들이야. 새들이 자유롭다고 말하는 건 인간의 높이에서나 가능한 일이지. 무스*는 초식동물이지만 몸무게가 300킬로그램이나 나가는 걸. 온순한 눈망울과 날카로운 이빨을 동시에 가진.

집으로 돌아와 곡차를 끓인다. 물의 색이 변하는 것을 바라보며 나를 둘러싼 세상의 온도를 살핀다. 내가 나여서 우러날 수밖에 없는 시간이 있다고.

빛을 거느린 사람들이 창밖으로 지나간다. 비밀이야 다시 품으면 될 일. 끓일수록 진해지는 것을 나라고 믿으면 될 일이다.

* 사슴의 한 종류. 말 정도로 큰 동물이지만 덩치에 걸맞지 않게 부드러운 풀을 즐긴다.

(시인동네 10월)

시 작 노 트

사실은 사랑한다고 말하고 싶은데 쓸 데 없는 말들만 늘어놓는다. 그렇게 해야만 지킬 수 있다는 마음이 있다는 건 불행일까 다행일까.

안 희 연 2012년 《창비》 신인상으로 등단. 시집 『너의 슬픔이 끼어들 때』 등이 있음.
elliott1979@hanmail.net

양희영

꽃도 잊었네

수십 년 몸이 알던 기억도 사라지는가
할매 한 사람 마음 줄 놓아버리네
함박꽃 흐드러지게 핀 오월은 왔는데

일꾼 새참주다 국수 들고 건너오던
네 꽃 내 꽃 없이 꽃 보면 환장하던 꽃
가방에 신문지 욱여넣고 미로를 가시네

(화중련 하반기)

시 작 노 트

아무것도 아니다
내 정신 온전히 세우고
그렇게 살다 간다면
다른 건 아무것도 아니다
손때 묻은 기억 어디에다 두었는가
평생을 가꿔온 꽃도 잊은 사람아, 사람아…

양 희 영 충북 음성 출생. 2017년 《좋은시조》로 등단. ichbin0@hanmail.net

여태천

저기 너머로

바람을 쥐는 법
수련은 언제나 몸 밖이거나
몸 너머의 세계에 있다.

셔틀콕이 한 세계에서 다른 세계로 날아가고
아줌마로 보이는 네댓 명이 바람처럼 길을 내고 있다.

몸의 한계를 시험하듯 수사修士가 되어
발걸음을 천천히 옮긴다.
손가락 사이로 무엇인가 애절하게
빠져나가고 있다.

눈이 왔던가?
여러 명의 아이들이 눈앞을 지나
저 너머로 건너가는 것을 물끄러미 바라보았다.

어떻게 이 시간을 견딜 수 있단 말인가?
기억이 들이닥치고 있었다.
여기서 빠져나가면
남겨진 몸은 어떻게 되는 것일까?

익숙해지면 안 되는데
누군가 등을 토닥거리고 있었다.

(시에티카 하반기)

시 작 노 트

모두들 뭔가를 하고 있다. 하지만 그 끝이 뭔지는 잘 모른다. 그래도 한다. 한때, 하고 있는 일이 어떤 결과를 가져오리라고 믿었다. 결과가 좋을 것이라는 것도 의심하지 않았다. 그 일이 매우 중요하다고 자신했으며, 누구보다 잘 안다고 생각했다. 이제 뭔가를 하고 있는 나보다 뭔가를 하고 있는 다른 사람들의 모습이 자주 눈에 들어온다. 어딘가로 가야 한다.

여 태 천 2000년《문학사상》으로 등단. 시집『저렇게 오렌지는 익어 가고』『스윙』『국외자들』 등이 있음. 김수영문학상 수상. 현재 동덕여대 국어국문학과 교수. skyyt@dongduk.ac.kr

염창권

비 그친 뒤

바퀴가 지나간 곳
빗물 넘쳐 벌겋다
뭉개놓은 그 아래로 물속 길이 희미하다,
속내를 알지 못하니

닿은 후엔, 필생이다

어쩌다가 마음 가는 방향이 달라졌을까
전생의 길 잘라먹고
너는 아주 지나쳤다
물 위에 얼굴 하나 뜬다,

무덤 다 지었다.

(발견 여름)

시 작 노 트

겹의 시공간에서는,
나의 현생으로 말미암아 전생과 후생이 함께 영향을 받는다.
저 먼 과거의 신음 소리는 지금 나에게서 비롯된 것이다.

염 창 권 1990년 《동아일보》(시조), 1996년 《서울신문》(시) 신춘문예로 등단. 시집 『그리움이 때로 힘이 된다면』『일상들』, 시조집 『호두껍질 속의 별』,『마음의 음력』 등이 있음. 한국시조시인협회상, 중앙시조대상, 오늘의시조문학상 등 수상. gilgagi@hanmail.net

오성인

바닥에 대하여

할당된 몫을 비우고도 밥그릇
핥는 데 여념이 없는 개. 바닥 깊숙이
스민 밥맛 하나라도 놓칠세라
잔뜩 낮춘 몸

지금 그의 중심은 바닥이다

온몸의 감각을 한군데로 끌어모으는
나차웁고 견고한
힘

모든 존재들은 낮은 데서 발원한다

생이 맨 처음 눈뜨고
마지막 숨들이 눕는
계절이 첫발을 내디뎠다가
서서히 발을 거두어들이는

최초이며 최후인 최선이거나 최악인

더는 낮아질 일도 붕괴될 일도 없는

낮은 벽, 혹은
천장

낮춘다는 것은 삶과 죽음의 무게를
동시에 겪어내는 일, 혼신을 다해
희로애락애오욕을 지탱해 내는 일

그러므로, 나는
낮을 것이다
개의 혀가 밥그릇 너머의 피땀까지
닦아 내듯, 이생과 그 너머의 생까지
두루 읽어 낼 일이다

기꺼이,
바닥을 무릎쓸 일이다

(시집 『푸른 눈의 목격자』)

시 작 노 트

비우다, 라는 말은 배우다, 라는 말에서 파생되었을 것이다.

바닥은, 스스로를 비우는 모든 존재들의 영역.
눈물이 헤프면 중심은 흔들린다.

다시, 겨울에 선다.
이것은 거룩한 나의 종교.

늦가을 허기진 날짐승들을 위해 홍시의 무게를 버티고 선 감나무, 다음 올 생들을 위해 스스럼없이 자신의 몸을 거름으로 내어놓는 낙엽, 묵은 상처를 짊어지고 날아드는 새들을 품는 노을.

그처럼 지극한 마음으로 변방을 믿는다.

오 성 인 1987년 광주 출생. 2013년《시인수첩》으로 등단. 시집『푸른 눈의 목격자』등이 있음. poetryvirus@hanmail.net

우은숙

바람의 깃발

울음을 곁에 두고 부른 노래는 젖어있다
초원의 눈물 배인 어린 양을 등에 업고
먼 하늘 바이칼에서 펼쳐든 맨발들

시베리아, 몽골 지나 한반도에 닿기까지
여러 번 제 몸 바꿔 전속력으로 달렸다
이제야 몸 뉘일 들판 저만큼 펄럭인다

종횡질주 멈추자 고요히 물드는 노을
설익은 마음 꿰매 빈들에 눕고 나니
흙먼지 낡은 구두가 안도의 깃발 드네

(정형시학 가을)

시 작 노 트

바람은 공항에서부터 나를 따라왔다. 아니 나보다 앞서 달리며 나를 오라 손짓했다. 러시아의 바이칼호수와 몽골을 다녀올 때이다. 바람은 끝없이 내 옆구리를 찔러댔다.

인간의 손길이 닿지 않아 가장 깨끗하다는 바이칼, 그곳에도 바람은 나보다 먼저 와 물위를 달리고 있었다. 초원의 별들이 반짝일 때도 바람은 살갗을 스쳤다. 맨발들을 펼쳐보이며….

시베리아 횡단열차를 타고 국경을 통과하는 순간에도 바람은 함께였다. 가슴 후빈 날들이 내 안에서 고요함으로 자리매김하기까지 말이다.

집으로 돌아온 낡은 구두에서도 바람의 숨결을 본다. 바람의 푸른 목소리도 내 몸을 휘감는다. 젖은 노래도 안도의 숨을 쉰다.

우 은 숙 1998년 《동아일보》 신춘문예로 등단. 시집 『마른꽃』『물무늬를 읽다』『소리가 멈춰서다』『붉은 시간』 등이 있음. 중앙일보시조대상 신인상 수상, 역류 동인. 현재 경희대 강사. kangmulcc@hanmail.net

유계영

미래는 공처럼

경쾌하고 즐거운 자, 그가 가장 위험한 사람이다
울고 있는 사람의 어깨를 두세 번 치고
황급히 떠나는 자다
벗어둔 재킷도 깜빡하고 간 그를 믿을 수 없기 때문에
나는 진지하게 가라앉고 있다
침대 아래 잠들어 있는 과거의 편선지처럼

그림자놀이에는 그림자 빼고 다 있지
겨울의 풍경 속에서
겨울이 아닌 것만 그리워하는 사람들처럼
오늘의 그림자는 내일의 벽장 속에 잘 개어져 있으므로

손목이라는 벼랑에 앉아 젖은 날개를 말리는
캄캄한 메추라기

미래를 쥐여주면 반드시 미래로 던져버리는
오늘을 쪼고 있다

울고 있는 눈사람에게 옥수수 수프를 내어주는 여름의 진심
죽음의 무더움을 함께 나누자는 것이겠다
얼음에서 태어나 불구덩이 속으로

주룩주룩 걸어가는

경쾌하고 즐거운 자, 그는 미래를 공처럼 굴린다
침대 밑에 처박혀 잊혀질 때까지

미래는 잘 마른 날개를 펼치고 날아간다
한때 코의 목적을 꿈꾸었던
당근 꽁지만을 남기고

(현대시학 11-12월)

시 작 노 트

생각은 잠수와 같다고 비트겐슈타인이 그랬다. 깊이 들어갈수록 물의 압력이 세지고 몸이 수면 위로 떠오르려 하듯이, 생각에 잠길 때마다 나는 생각의 바깥으로 금세 튕겨져 나온다. 생각의 바닥까지 깊이 내려가 보고 싶었던 적도 있었지. 그러나 질식할 것만 같았다. 기분이 묻어나지 않는 생각을 할 수 있다면, 깊은 생각의 밑바닥까지 내려가 볼 수 있을까. 울고 있는 사람의 어깨만 보면 황급히 자리를 떠나고 싶은 이 마음을 진정시킬 수 있을까. 생각의 표면에서만 허우적거린다. 조금도 깊이 들어가 보지 못한다. 깊고 깊은 생각 끝에 도대체 무엇이 있길래. 시간은 앞으로 앞으로만 행진하는데.

유 계 영 2010년 《현대문학》으로 등단. 시집 『온갖 것들의 낮』『이제는 순수를 말할 수 있을 것 같다』 등이 있음. ygy815@hanmail.net

유재영

계절을 바라보는 네 개의 형태

1.
새끼 염소 뒷발질에 퍼런 멍든 봄 하늘
살구나무 분홍 차일 누구네 혼사일까
민들레 꽃씨 날아간 개울 건너 첫 동네

2.
흔들면 떨어질 듯 잘 여문 새소리며
퐁! 하고 도라지꽃 터지는 남보랏빛,
오늘도 물소리들은 덧니처럼 반짝인다

3.
가랑잎 한 장에도 가을밤이 환해서
서성이던 기다림에 뒤창문 가만 열자
초승달 가는 허리를, 안고 우는 베짱이

4.
곤줄박이 동안거 든 잣눈 쌓인 골짜기로
산죽잎 떨어져서 새겨 놓은 얼음 경판
때로는 산도 몸 굽혀 밤새도록 읽다 간다

(정형시학 봄)

시 작 노 트

정형시가 정형을 버리고 있다. 새롭다는 것은 틀을 깨는 것이 아니다. 시조에서 형식은 형식 그 이상을 의미한다. 시조가 존재하는 것은 형식이 중요하기 때문이다. 요즘 현대시조라는 이름으로 빈번히 일어나는 일탈 행위를 경계한다.

유재영 충남 천안 출생. 1973년 시 박목월, 시조 이태극 추천으로 등단. 시집 『한 방울의 피』『지상의 중심이 되어』『고욤꽃 떨어지는 소리』『와온의 저녁』, 시조집 『햇빛시간』『절반의 고요』『느티나무 비명』, 4인집 『네 사람의 얼굴』『네 사람의 노래』 등이 있음.
dhsbook@hanmail.net

이규리

하지

슬픔을 감자바구니에 담아놓고
파먹기 시작한다
토실토실하구나
얼마든 배불러도 되겠어

여름 햇볕은 끊어 쓰고도 남아
또 남아
다시 끊어 쓰다가 눈이 베어

–왜 여기 앉아서 뜨거운 감자만 먹고 있는 거야
–이 소금 바가지는 다 뭐야

그렇더라도
아픔을 사용하지 마
병病을 이용하지 마

오늘은 다르다 하며 오늘을 가고
길어진 해는 등에 모아서

유리창에 바싹 다가가면 내일이 일찍 올지도 몰라
내일이 오면 다른 마음이 될지도 몰라

감자는 왜 감자 아닌 걸 생각나게 하지
배가 부른데 왜 슬픈 거지
감자가 아냐 슬픔이 아냐
좀 길었을 뿐이야

모아둔 볕은 어디에 풀어야 할까

어떤 믿음은 이제 이곳으로 오지 않을 텐데
망초 꽃처럼 하염없는데

(문학들 겨울)

시 작 노 트

감자 먹을 땐 말을 시키지 말아요. 더구나 뜨거운 감자는 더욱 그래요. 감자는 목이 메어 정작 다른 중요한 말은 하지 못해요.

그러다보면 갑자기 서럽고 우리가 기다리는 일이 무언지, 오지 않을 일들이 길어 그래서 괜히 아프다는 이유를 할 뻔 했어요. 하지였어요.

이 규 리 1994년 《현대시학》으로 등단. 시집 『앤디 워홀의 생각』『뒷모습』『최선은 그런것이에요』 등이 있음. kyureelee@hanmail.net

이남순

막사발

왜바람과 맞서느라 금이 간 허리 안고
이저리 채이다가 이 빠지고 살 터진 채
이름도 개명을 했다, 꼼짝없이 '이도 다완'

선비들의 찻상에도 의젓하게 올라갔고
비가 새는 난달 부엌 흙바닥에 엎드려서
저 백민 간당한 목숨도 숨죽이며 지켜봤다

장독 위에 별을 띄워 정화수 받아 놓고
퇴락한 왕조 앞에 그래도 살아보자고
어쩌다 비겁한 목숨도 그렁그렁 달래었다

개밥그릇 냉가슴도 참을 말이 따로 있지
분에 넘친 대접하며 기고만장해 봤댔자
우리네 도공 품에서 주먹 쥐고 태어났다

(시조21 봄)

시 작 노 트

우리 땅의 숨결이 스민 황토로 빚어낸 막사발은 우리 민족의 자연스러움이 담긴 소박한 그릇이다. 임진왜란 이후 일본으로 끌려간 조선 도공들이 만든 막사발이 이도다완 (井戸茶碗)이 되었다. 조선 막사발이 일본 국보급이 된 것이다. 아무리 기고만장해봤자, 조선 도공의 다부진 솜씨요 정신이 아닌가. 일본이여, 잘 대접하시라

이 남 순 경남 함안 출생, 2008년 《경남신문》 신춘문예로 등단, 시조집 『민들레 편지』 등이 있음. 이영도시조문학상 신인상 수상 manbal6237@hanmail.net

이달균

오래된 책상

처음 네가 왔을 땐 명쾌한 해답 같았다
턱 괴고 펜을 들면 달려오던 질문들
차가운 안경과 모자, 사각형의 단호함

폐를 다친 사내의 창백한 겨울은
주인 없는 서가를 맴돌다 떠나고
오늘은 서창의 해를 비스듬히 바라본다

닳은 것은 책상과 문턱만이 아니다
견고한 침묵처럼 덮어둔 일기장도
나약한 가슴을 찢고 떨쳐 나오지 못했다

그토록 간절했던 사랑은 무엇인가
녹슨 철학인가 위험한 사상인가
저만치 가장자리를 지킨 먼지의 시간이여

(좋은시조 봄)

시 작 노 트

책상 하나가 있었다. 지금은 책상도 책들도 없고, 일기장 몇 권만 남아 있다. 그의 청년시절을 시 속에서 상상한다. 내가 기억하는 그는 한 쪽 폐를 잘라낸 노년의 모습뿐이다. 훗날 나는 어떤 모습으로 그려질까? 아무런 추억도 없이 그저 잊혀지는 것도 나쁘진 않으리라.

이달균 경남 함안 출생. 1987년 《지평》으로 등단. 시집 『늙은 사자』『문자의 파편』『말뚝이 가라사대』『장롱의 말』『북행열차를 타고』, 현대가사시집 『열두 공방 열두 고개』 등이 있음. 중앙시조대상, 중앙시조대상 신인상, 경상남도 문화상, 경남문학상 등 수상.
moon1509@hanmail.net

이병초

허수아비

더 늦출 수 없다는 듯
바람이 목에 감긴다
나일론 끈으로 허리를
질끈 동여맸어도
갈수록 벗어지는 이마며
얼마 안 남은 눈썹을 허수아비는
찬찬히 시냇물에 비춰본다

뭘 잃고 자실 게 없으니
마음은 편하다 처음부터 허수아비는
이 세상에 없었으므로
시간이 늙든 뼈만 남기든
누더기도 과분하다
팔뚝 없는 소매를 붙들고
몸속 실을 뽑아 지은 집에서
빼빼 말라죽은 거미를 조문하듯
시냇물 속에 툭 불킨 오디별
그 빛의 지느러미를 허수아비는 사랑했다

목에 감긴 오랏줄을 풀고
바람도 눈썹을 지우는 시간

손톱 발톱을 깎아서 집에 보내는 병사처럼
눈앞이 어두워도
시냇물소리는 오디별처럼 맑다

(시인동네 12월)

시 작 노 트

바람소리가 유난히 맑게 들린다. 이런 날은 바람을 타고 앞산 계곡에 꽁꽁 언 얼음이 풀릴 것 같다. 봄맞이 하듯 반짝 튀어오르는 피라미를 바람소리는 얼른 안아주기도 할 것이다. 세상이 꽁꽁 얼어붙었든 말든 바람소리는 인간이 만든 날짜와 시간을 벗고 만기출소를 했는가보다.

이 병 초 전주 출생. 1998년 《시안》으로 등단. 시집 『살구꽃 피고』『까치독사』 등이 있음. 현재 웅지세무대 교수. lbc98@hanmail.net

꽃돌에 숨어

저 돌 속에 피어 있는 진달래 꽃무더기 돌 속으로 길을 내며 오신 봄도 꽃무더기 그 봄을 따라나서니 그만 나도 꽃무더기

햇살 잠깐 조는 사이 낮달이 기웃대다 가던 길 해찰하는 구름 등에 기웃대다 주파수 잡히지 않는 마음결에 기웃대다

서른 나이 그 봄부터 스무 해 더 번지도록 짓찧은 가슴 언저리 초록 물만 번지도록
울다가 그루잠 들듯 눈물이 번지도록

발꿈치 들고 오는 샛바람에 눈을 주고 물너울 반짝이는 윤슬에 눈을 주고 이대로 숨어살자는 저 분홍에 눈을 주고

(공시사 2월)

시 작 노 트

언제부터인가 제자리에 있지 못하고 마음이 들썽거리면 책꽂이에 올려둔 '꽃돌'을 하염없이 바라본다. 그러다 눈을 감으면 돌문이 열리고 거기 환한 꽃무더기!서른 몇부터 지금까지 가슴 언저리에 짓찧은 초록 물이 번져있는 곳. 그루잠 끝에 맺힌 눈물이 물비늘로 숨어있는 곳. 그대를 보기위해 분홍이 되어 기다리는 곳.

이승은 1979년 전국민족시대회 장원으로 등단. 시집 『얼음동백』『넬라 판티지아』 등이 있음. 백수문학상.고산문학대상.중앙일보시조대상 등 수상. jini-221@hanmail.net

이승철

지금 나에겐

말하자면 지금 나에겐 당신을 덥혀줄 몇 장의 손수건이 더 필요한가. 너라는 존재를 확인하기엔 시간이 얼마 남지 않았다. 그 이름을 온종일 뇌까려 본들 무얼 하겠느냐. 훌훌 털어버리고 평양 대동강가에서 황금빛 이슬을 캐고 또 캐면서 낭창낭창 찰랑거려 보자. 다시는 적막강산 그늘 아래 외따로 떨어져 살지 말자. 휴전선 넘어넘어 금강산 구룡폭포로 흘러가 천척절애 아래 꺼이꺼이 울어나 보자. 아무렴, 타오르는 자궁 속에서 우린 그날 한 자루 빼였다. 멧비둘기들이 가시철조망을 넘나들 때 결코 만만치 않은 피와 살이 살아 있었기에 저렇듯 명랑하게 선죽교를 밟았다. 흥겨웠던 그 광장마다 시든 촛불들이 귀환했다. 아, 불쌍한 태극기들도 서럽게 한켠에서 울어댔다. 그토록 목청을 높인다고 네가 내 가슴에 껴안길 수 있겠느냐. 안과 밖이 서로 어긋나 있는 것들아. 오물이 담긴 입으로 네가 부르는 노래를 난, 더이상 듣기 싫다. 허나, 함께 하지 못한 날들이 너무나 오래였기에 방구들에 누울수록 우린 더욱 사무쳤다고 오늘 말해주마. 섣달 그믐달을 치어다보며 이녁 없이 살아갈 외론 눈동자만을 떠올려 보마. 아리아리 쓰리쓰리한 날들이 저만치서 서로를 감싸안고 있었다.

(시와경계 10주년)

이승철 1958년 전남 함평 출신. 1983년 무크 『민의』 2집으로 등단. 시집 『총알택시 안에서의 명상』 『당산철교 위에서』 『오월』 『그 남자는 무엇으로 사는가』, 저서 『광주의 문학정신과 그 뿌리를 찾아서』 등이 있음. cowtown@hanmail.net

이은규

밤은 짧아 걸어 아가씨야*

오래 전 밤은 짧아 걸어 아가씨야
라는 문장이 들려왔지만
나는 대답하지 못했다

지구는 둥그니까 자꾸 걸어 나가면
온 세상 당신을 다 만나게 되지 있을까

때로 어떤 문장은
가까이서 멀리서 언제나 출발 중이다

밀려왔다 밀려가는 공기 사이로
어젯밤 몇 개의 절기가 오고 갔는지
어젯밤 몇 개의 기억이 가고 왔는지
창백한 열꽃이 피고 지는 동안
꽃 소식이 들리지 않도록 눈을 감았다

우리가 그토록 기다려온 이름은, 우리일 것
법칙과도 같이 약속과도 같이
당신이 당신에게 돌아가는 동안
우리가 당신에게 돌아가는 동안
포기하지 않고 사랑할 수 없다는 역설이 길다

때로 어떤 문장은
멀리서 가까이서 언제나 연착 중이다

너무 많은 기억에도 불구하고
너무 짧은 절기에도 불구하고
우리라는 이름만 아지랑이로 일렁인다

온 세상 당신을 다 만나게 되지 있을까
지구는 둥그니까 자꾸 걸어 나가면

얼마 전 밤은 짧아 걸어 아가씨야
라는 문장이 들려왔지만
나는 대답하지 않은 채 걷기 시작했다

*모리미 도미히코의 소설 제목.

(포에트리슬램 3호)

시 작 노 트

혀끝에서 맴도는 그 이름을 만날 때까지 우리는 걷는다, 쓴다.

이 은 규 2008년 《동아일보》 신춘문예로 등단. 시집 『다정한 호칭』 등이 있음.
yudite23@hanmail.net

이재무

울음소리

올여름엔 시골집에 내려가
개구리 울음소리
실컷 듣다가 오고 싶다 다 늦은 저녁 마당에
멍석이 깔리고 두레밥상에 식구들 둘러앉으면
밥상머리에 겁 없이 뛰어들던 울음소리
된장국에도 물김치에도 물그릇에도
둥둥, 참외같이 노랗게 떠 있던 울음소리
밥 먹고 나선 마실 길에 지천으로 깔리던
울음소리 논둑 미루나무 가지에도 우물 옆 팽나무
가지에도 주렁주렁 열리던 울음소리
이슥한 밤 소등한 마을
하늘에 별이 반짝이고 들판에 울음이 번쩍이고
어느 날엔 꿈속까지 뛰어들던 울음소리
툭툭, 발길에 차여
아무렇게나 나뒹굴던 울음소리
뜰팡 벗어놓은 신발 속에 눈물처럼 고이던
개구리 울음소리

(시인동네 10월)

이 재 무 1958년 충남 부여 출생. 1983년《삶의 문학》으로 등단. 시집『섣달 그믐』『온다던 사람 오지 않고』『위대한 식사』『시간의 그물』『경쾌한 유랑』『슬픔에게 무릎을 꿇다』등이 있음. 윤동주문학대상, 소월시문학상, 난고문학상, 편운문학상, 풀꽃문학상 등 수상. 현재 천년의시작 대표이사. poemsijak@hanmail.net

이희중

허물어지는 집

오래 전 집을 하나 지었지.
밭 가운데, 산 사이
큰 물 위에 뜬 배처럼

심은 나무와 심지 않은 나무가
사람 키보다 더 크는 세월이 흐르니
바람이 불면 흔들리는 듯,
비 오면 출렁이는 듯.

마당으로 낸 나무 갑판은 뒤틀려 갈라지고
에운 벽 사이를 채운 고무는 굳어 부스러지고
겹유리 틈에 김이 서려 창밖은 잘 보이지 않고
벌레들 짐승들 자주 들어와 우리 땅이라 하네.

오래 전 무릎 꿇고 땅의 정령에게 절한 후
기계 삽을 대어 땅을 열고 돌가루를 부었는데
이제 땅이 아물어 집을 위로 밀어내는가.

여생이 조금 있는 나는 몸을 가눌 방이 필요해
손수 또는 사람을 불러 여기저기 손을 보지만

심은 나무와 심지 않은 나무들
언젠가 이 집 지붕보다 높이 자라면
그때 나는 어디에 있고,
산 사이, 물 사이에
사람이 세운 무엇이 남아 있을 것인가.

(녹색평론 11~12월)

시 작 노 트

다큐멘터리를 본 적이 있다, 사람이 사라지면 사람이 짓고 세운 것들이 어떻게 되는지를 흐른 시간의 마디에 따라 컴퓨터 시뮬레이션으로 보여주는. 골조까지 다 부스러져 내리기까지는 꽤 긴 시간이 필요했지만, 사람이 부여한 기능을 잃어버리기까지는 오래 기다릴 필요가 없었다. 그것은 풀과 나무들이 그 폐허를 차지해 가는 과정과 다른 무엇이 아니었다. 아니, 풀과 나무, 짐승과 벌레의 세상으로 점차 돌아가는 것이었다.

이 희 중 1960년 밀양 출생. 1989년 《현대시학》, 1992년 《경향신문》 신춘문예로 등단. 시집 『푸른 비상구』『참 오래 쓴 가위』『나는 나를 간질일 수 없다』 등이 있음. 평론집 『기억의 지도』『기억의 풍경』『삶〉시』. 현재 전주대학교 국어교육과 교수. okokul@gmail.com

임지은

과일들

필통에 코끼리를 넣고 다녔다
지퍼를 열었는데 코끼리가 보이지 않았다
거짓말이었다
오렌지였다

나는 덜 익은 오렌지를 밟고
노랗게 터져버렸다
가끔은 푸른 안개가 묻어 있어도 좋았다

이제 나는 오렌지가 어떤 세계의 날씨인지
알아내는 일에 빠졌다

박스째 진열된 과일 가게에 갔다
기다린다는 건 잘 익은 바나나
지갑을 열고 거짓말을 꺼냈다
딸기였다

손바닥 위에 씨앗 코끼리
공기 중으로 흩어지고 있는 분홍의 과즙
딸기 속에는 아주 작은 물고기가
헤엄치고 있었다

나는 이제 거짓말이
어떤 세계의 바다인지 알아내는 일에 빠졌다
오렌지 속에 코끼리를 넣고 나왔다

(문학과사회 겨울)

시 작 노 트

몇 년 전 잘츠부르크에 갔을 때 이름 없이 그림으로 된 간판 거리를 걸었던 적이 있다. 빵이 그려진 간판은 빵집이었고, 신발이 그려진 간판은 신발가게였지만, 쉽게 알아볼 수 없던 간판도 있었다. 가령 입술이 그려진 간판은 립스틱을 파는 곳인지, 수다를 떠는 공간인지, 음식을 먹으라는 의미인지 쉽게 알 수 없었다. 나는 그런 것이 시라고 생각했다. 입술이라는 단어는 명확하지만, 각자의 머릿속에 떠오르는 입술은 모두 다르듯이 약간씩의 비밀을 간직하는 것. 무엇을 파는 가게인지 모르고 들어갔는데 가장 소중한 것을 발견하게 된 기분처럼. 이상한 가게들을 꿈꿔왔던 것 같다. 코끼리를 필통에 담아서 파는 가게, 푸른 안개가 묻은 오렌지를 파는 가게. 바나나처럼 잘 익은 기다림을 파는 가게. 내일 날씨를 파는 가게 등등. 그러면 나는 전혀 새로운 것을 궁금해하게 된다. 가령 거짓말은 어느 세계의 바다인가? 오렌지는 어느 세계의 날씨인가? 같은. 지금 쓰는 이 글은 사실 시작노트보다 시후(後)노트에 가깝다. 나는 예정된 곳으로 가지 않기 위해 시작노트는 잘 쓰지 않는 편이다.

임 지 은 2015년《문학과사회》로 등단. 시집『무구함과 소보로』등이 있음.
jazzella@naver.com

장재선

나의 오래된 적의敵意와

5층 화장실에서 성기를 내어놓고 일을 보는 남자가 7층 앞 건물에 시야를 가려 매일 몇 번씩이나 시원치 않은 느낌에 사로잡히면, 그게 몇 년 쌓인다고 할 때 밖으로 뛰쳐나가 7층 건물에 칼을 휘두른다고 하더라도 이상한 일은 아닐 것입니다. 세월은 시력을 낮춘다지만, 지난 늦가을엔 시야를 가리는 빌딩 앞의 은행나무 다섯 그루에 눈길을 줬고, 그 잎들이 노랗게 물들어가는 것을 보며 바지춤을 여몄습니다. 투명한 창문을 사이에 두고 유혹하던 나무들 중 하나가 잎을 다 떨어트리는 동안에도 나머지 네 그루는 제 계절의 농염을 지키고 있던 것이었는데, 잦은 눈길 덕분에 어느 날엔 알 수밖에 없었습니다. 저 짓부수고 싶은 7층의 높이가 모진 겨울 앞에서 바람을 잠깐 막아줬기 때문임을.

(한국문학 상반기)

장재선 《시문학》으로 작품 활동 시작. 시·에세이집『AM7이 만난 사랑의 시』『시로 만난 별들』등이 있음. jeijei@munhwa.com

전기철

관촌에서 박상륭의 소설 속을 헤매다 이문구를 만나다

관촌에서 모든 언어는 젖는다.

깔밋잖은
뒤통수만 봐도 사번스러이
씨불대는 말은

뒷간에서 눈 시린 낙서를 하고 나온 듯
갈강갈강 칙살스러이
달라붙는 말은

껄적지근하고 잔망스러워
얄쌍한 눈으로
달의 뒷면에서 기웃거리는 듯

깨잇것 이냥 냅둬 번져

저뭇한 시각에
헐 수 할 수 없는 위인이

종작없이 불퉁거리고 들썽이다가

씩둑거리기도 엉너리치기도 하여

대원군의 묵란도를 보는 듯
모도록
맴이 또아리를 튼다.

보령 바닷가
해설핀 저물녘이 끕끕하다.

휘핑, 모들뜬 눈이 어지러버 죽갔구만

간 밤 사나운 꿈자리에서 뛰쳐나오지 못한
감창소린지
얄망궂은 말밥에
가슴의 현이 느즈러지고
술도갓집이라도 지나온 듯 눈까지 희읍스름하다.

웃저고리를 벗어부친
부지깽이의 말투는

지팽이를 짚은 듯

차마
초들기도 힘들다.

(쿨투라 11월)

시 작 노 트

이 한 여름 박상륭 소설 속을 헤맨다. 그의 언어 속을 정신없이 떠돌다 보면 이문구 작가가 저만치, 지팡이를 짚고 담배를 꼬나물고 피식 웃고 있는 것만 같다. 박상륭을 읽는다는 것은 이문구를 읽는다는 것인가. 여기는 관촌인가, 오백 년 전 어느 절간인가, 아니면? 모르게라!

전 기 철 1988년 《심상》으로 등단. 시집 『로깡땡의 일기』 등이 있음. 숭의여대 문예창작과 교수. jkwansan21@daum.net

정끝별

홈페이지 앞에서

식탁이다, 임시저장된 얼굴로 로그인되어 있다, 서로를 스킵한다, 접속하면 악플이다, 숟가락과 변기와 가족력을 공유하면서

서로에게 자동 로그아웃된 지 오래

양은냄비다, 네 컵의 물이 제 몸을 달달 끓이고 있다, 서로의 목줄을 쥐고, 각자의 방문을 잠근 채, 서로의 숨통을 당기고 있다

말을 해, 내가 스팸처리된 이유, 너에게 차단된 이유를!

화병이다, 잠긴 물에 발을 담근 가지들, 물때 낀 기억이 녹조 눈금을 새기며 졸아들고 있다, 잠금해제 패턴을 찾아 GPS 추적중이다

집과 짐과 징과, 가족과 가축과 가출과 가책은, 다른가?

현관이다, 장마철에 세워둔 우산이 철지난 눈사람처럼 서 있다, 너무 혼자여서 혼자인 줄도 잊고, 젖은 채 접힌 살들이 서로의 미래에 녹물을 들이면서

아이디마저 잊었다 계정을 삭제해야 할까

(시와반시 여름)

정끝별 1988년 《문학사상》 신인상, 1994년 《동아일보》 신춘문예로 등단. 시집 『자작나무 내 인생』 『흰 책』 『와락』 『은는이가』 등이 있음. 유심작품상, 소월시문학상, 청마문학상 수상. 이화여대 국문과 교수. postellar@hanmail.net

정수자

검은 발에 숙이듯

미처 타지 못한 거적 속의 저 검은 발
일생 걸은 맨땅에 불길마저 숙는지

새벽내 달려온 강물이
입을 연해 달싹이매

남은 몸을 물속으로 툭 밀어 넣을 때
울음 문 기도 따라 둑방이 붉게 떨 때

갠지스 새 먹이 채는
새떼는 마구 솟고

그 물에 안겨 가는 재티랑은 어제의 일
그 물에 이를 닦는 햇살은 또 오늘의 일

그 사이 두 발을 내어
갑甲의 욕을 씻었네

(발견 겨울)

시 작 노 트

이 닦고, 발 씻고, 몸 씻고, 빨래하고,

죽은 사람 태워 멀리 보내는 일까지…

지상의 오물 오욕 다 받아 안고 갠지스는 그저 흘러갈 뿐.

갑 지나온 무지외반 발을 씻다 깊이 한 번 더 숙였을 뿐.

정 수 자 1984년 세종숭모제전 전국시조백일장 장원 으로 등단. 시집 『그을린 입술』 등이 있음. 중앙시조대상, 현대불교문학상, 한국시조대상 등 수상. jookbee7@hanmail.net

정용국

앵두가 익을 무렵

1.
산 두릅 연둣빛에 햇볕이 스며들어
알싸한 봄 냄새를 남기고 떠나듯이
이별의 아픈 향기는 두고 가도 좋겠네

2.
고양이 선하품이 연못에 스며들어
올챙이 긴 꼬리를 조금씩 잘라 먹듯
지는 봄 어질머리도 열매 속에 품겠네

3.
눅눅한 갈피마다 바람결로 스며들어
혼곤히 세 이레 쯤 알뜰히 보듬으면
먼 그대 쓰린 기억도 새빨갛게 익겠네

(서정과현실 하반기)

시 작 노 트

올봄에도 햇볕과 선하품과 바람결이 '스며들어' 산 두릅과 연못과 내 눅눅하고 쓰린 기억을 어루만져줄 것이다. 사람이 자연에 맞서는 일은 어리석고 모자라는 일이다. 그래도 바람과 햇볕은 끝까지 그 넓은 품에 모든 것을 받아 주리니 우리에겐 커다란 위안이 아니겠는가.

정용국 경기 양주 출생. 2001년 계간《시조세계》로 등단. 시집으로『난 네가 참 좋다』, 비평집으로『시조의 아킬레스건과 맞서다』 등이 있음. 현재 한국작가회의 시조분과 위원장. yong5801@daum.net

정희성

나는 자연을 표절했네

어떤이는 말하네
시인은 말하는 사람이 아니라
보는 사람이고 듣는 사람이라고
나는 새의 목소리를 빌려
나무가 노래하는 소리를 들었네
그리고 그들의 말을 받아쓰네
이제 막 말을 배우기 시작한
어린 손녀가 창밖을 내다보며
저 혼자 하는 말도 받아 적네
아 자연은 신비한 것
세상 그 누구도 한 적 없는
한 마디 말을 하고 싶지만
하늘 아래 새로운 것은 없네
어느 시인은 말했지
나는 자연을 표절했노라고*

*이재무 시인의 '나는 표절시인이었네'

(시와경계 겨울)

시 작 노 트

어린 손녀가 하는 말을 듣고 놀라는 일이 많아졌다.

"내 말은 때가 묻어 천지와 귀신을 감동시키지 못하는데 꽃이야 하는 그 애의 말 한마디가 풀잎의 풋풋한 잠을 흔들어 깨우는 것이었다"(졸시 민지의 꽃)

정 희 성 1945년 출생, 1970년 《동아일보》 신춘문예로 등단. 시집 『답청』『저문 강에 삽을 씻고』『한 그리움이 다른 그리움에게』『시를 찾아서』 『돌아다보면 문득』『그리운 나무』 등이 있음. 김수영문학상, 만해문학상, 이육사시문학상, 지용문학상, 구상문학상 등 수상. 한국작가회의 이사장 역임, 현재 한국작가회의 고문. poetjhs@hanmail.net

조승래

철이 들어

윤달이 있어 늦은 한가위
여유 있게 좀 더 뒹군 탓일까
과일이 예년보다 씨알이 굵다

야들아 밥 무라
어머니 목소리 모락모락 들리는
겨울 남향 골목길
아이들은
감기도 안 걸리고
무럭무럭 잘도 자랐다

조금만 더 따스하면
더 조금만 느긋하면
이루어지는 소망

혼자가 아니라서
더 포근한 철들기

(문학선 겨울)

시 작 노 트

윤달이 있어서 여유가 생기니 마음이 느긋해진 덕분에 과일은 잠도 충분히 잘 수가 있고 피부도 팽팽해지는 것 같다. 가난해도 형제가 많아 사람 사는 소리 들리는 집 남향 햇살아래 사랑으로 자라는 자식들은 병치레도 안하고 잘 자라 주었다. 조급해 하지 않고 황소처럼 꾸준히 나아가면 어느덧 밭갈이도 끝이 나 있을 듯하다. 음식도 조금씩 천천히 먹으면 소화도 잘 되고 더 건강해 짐도 알게 되었다. 포근하게 철이 드는 것이다.

조 승 래 경남 함안 출생, 2010년《시와시학》신춘문예로 등단. 시집으로 『몽고 조랑말』『내 생의 워낭소리』『타지 않는 점』『하오의 숲』『칭다오 잔교 위』등이 있음. 한국타이어 상무와 단국대 겸임교수 역임, 현재 씨앤씨 와이드(주) 대표. chosr518@hotmail.com

조 은

반성이 과한 만두소처럼

잦은 반성에 발목 잡혔다
끝없는 반성이
과한 만두소처럼
내 삶을 망쳤다
나는 둔하고 고집스럽게
반성 뒤에도 반성했다
커튼 뒤에서 문 뒤에서
반성하며 서 있었다

나는
오만해야 했다
가슴을 쫙 펴고
냉소를 머금어야 했다
그랬다면 성큼성큼 앞으로 갈 수 있었다
그랬다면 다른 곳에서
다른 사람이 되어
다른 삶을 살 수도 있었다

반성해서 잃은 것들을 꼽아본다

반성뒤 따라왔던 불로장생의 아픔이

폐에서 심장에서 혈관에서
청년처럼 뛴다

이 또한, 반성!
구제불능이다

(현대문학 7월)

조 은 1960년 경북 안동 출생. 1988《세계의문학》으로 등단. 시집『땅은 주검을 호락호락 받아주지 않는다』『무덤을 맴도는 이유』『따뜻한 흙』『생의 빛살』『옆 발자국』등이 있음. 전숙희 문학상 수상.

조정인

함박눈이 내리기 때문입니다

리스본의 당신은 여전히
오늘의 눈송이가 불어오는 곳.

어떤 필자는 부지불식간 독자를 불러 세운다. 바닥없는, 젖은 손바닥을
목덜미에 놓는다.

책을 읽다가 한 페이지를 깊숙이 접게 되는 거기, 한 단락 문장이
검은 탕약처럼 엎질러져 있는 경우.

발 없이 방으로 들어서서… 없는 손가락으로 머리칼을 귀 뒤로 넘겨주고
혀 없이 혀를 감는… 환하게 불 켜진 심장으로… 아득히
초원이 펼쳐지고 흰 망초무리가 들어서는

문장이 하는 이런 일들.

그날 밤, 책의 한 페이지를 깊게 접은 나는 책을 떠나 창가 쪽으로 갔다.
한 세기 전에 죽은 자가 한 말은 놀랍게도 어느 봄날, 당신이
고백의 휘발성에 대해 무연히 흘린 말과 일치하고 있었다.

죽은 필자의 영혼은 어떻게 시공을 되돌려 이곳, 익명의 독자에게 돌아와
밤의 밀서를 건넨단 말인가.

백년과 백년 사이, 별처럼 총총한 창문들.
그리운, 무수한 당신들이 창가에 있다.

수 세기 바깥 누군가가 한밤의 나를 따라한다. 읽던 책을 덮고
창유리에 이마를 댄다, 두 번, 마른기침을 하고 식탁으로 돌아와 유리컵에
물을 따라 마신다. 그의 등 뒤, 검은 유리창에
흰 눈송이의 소요가 떠오르다 가라앉는다.

마치도 오늘 내가 배회하던 문장들의 혼령인 듯.

(시와표현 4월)

시 작 노 트

페소아의 산문을 뒤적이다가 마주친 한 문장에서 나는 급제동이 걸렸었다. 고백에 관한 그의 페이지는 지난 어느 봄날, K가 고백의 무용에 관해 토로한 말과 일치하고 있었다. 그 말이 그곳에 엎질러져 있는 듯한 충격이 아닐 수 없었다. 나는 책을 덮었다. 더욱 소름이 돋았던 건, 시를 쓰고 난 뒤에 Cafuné('손가락으로 머리칼을 귀 뒤로 넘겨준다.'는 뜻의 브라질어. 브라질은 포르투갈어를 쓰는데 정작 포르투갈에는 없는, 브라질 고유의 어휘라고 한다.) 라는 말의 존재를 알고서였다.

조 정 인 서울 출생. 1998년 《창작과비평》으로 등단. 시집 『장미의 내용』, 동시집 『새가 되고 싶은 양파』 등이 있음. thewoman7@naver.com

진은영

죽은 마술사

죽은 마술사, 내 사랑 너는 붉은 철책의 발코니 무의미의 실내악
나의 악보가 놀라서 내게서 도망쳤다
너에 대한 사랑과 슬픔에 빠져 내 귀는 익사할 지경이 되었으니까
소금을 진 당나귀를 걷어찼지
눈 속에 잠든 네 입술의 동네 근처로
내 심장은 얼음 위 맨발처럼 추억 속을 뛰고 있고
모든 기쁨을 잠들게 하는 종소리가 어두운 언덕 위로 지나갔다
저녁의 탁자
알 수 없는 시구들이 파란 연필처럼 길게 드러눕는다
단어 속의 기억을, 깜박이는 속눈썹을 흰개미들이 갉아먹고 있다

이봐, 슬픔의 좁쌀을 가득 채우라고
이제 내 인생은 구멍 난 주머니야

(창작과비평 가을)

시 작 노 트

아폴리네르는 노래했다. "우리는 저들이 사랑치 않은 삶을 사랑으로 정복하리라."(황현산, 「얼굴없는 희망」, 24쪽)

진은영 1970년 대전 출생. 2000년 《문학과사회》로 등단. 시집 『일곱개의 단어로 된 사전』『우리는 매일매일』『훔쳐가는 노래』 등이 있음. dicht1@daum.net

최금진

누가 고양이 입속의 시를 꺼내 올까

혓바닥으로 붉은 장미를 피워 물고
조심조심 담장을 걷는
언어는 고양이
깨진 유리병들이 거꾸로 박힌 채
날 선 혓바닥을 내미는 담장에서
줄장미는
시뻘건 문장을 완성한다
경사진 지붕을 타 넘으면
세상이 금세 빗면을 따라 무너져 내릴 것 같아도
사람은 잔인하고 간사한 영물
만약 저들이 쳐놓은 포획틀에 걸리기라도 한다면
구름으로 변장하여 빠져나올 것이다
인생무상보다
더 쉽고 허무한 비유는 없으니
이 어둠을 넘어가면
먹어도 먹어도 없어지지 않는 달덩이가 있다
거기에 몸에 꼭 맞는 둥지도 있다
인간에게 최초로 달을 선사한 건 고양이
비유가 아니면
거들떠보지도 않을 테니
흰 접시 위에 싱싱한 물고기 한 마리 올려놓는다

언어는 지느러미를 펄럭이며
하늘로 달아나고
마을은 접시처럼 환하다
가장 높은 지붕 위엔 고양이 한 마리
발톱의 가시로 달덩이를 희롱하고
입으로는 붉은 장미꽃들을 활짝 피워낸다
야옹, 나는 장미다

(문예바다 가을)

시 작 노 트

여기에 나를 남기는 것이 덧없는 것인 줄 알면서도 또 한 줄 흔적을 덧댄다. 어쩌면 먼 훗날, 지금보다는 더 과묵해진 무릎을 꿇고 지금의 나를 이해할 수 있기를 바랄 뿐이다. 일그러진 얼굴을 들고 나를 바라보게 될 얼룩진 내일을 조금 일찍 용서하자. 겨울이니까 약간의 용기가 더 필요하겠지만, 가던 길을 마저 가는 것으로, 내 손을 잡아주는 것으로, 일상에 더 깊이 매몰되는 것으로 나는 겨울과 결별한다고 적어야 한다.

최금진 2001년《창작과비평》제1회 신인상으로 등단. 시집『새들의 역사』,『황금을 찾아서』,『사랑도 없이 개미귀신』과 신문집『나무 위에 새긴 이름』등이 있음.
simasian@hanmail.net

최동호

호롱불

꿈속에서 호롱불 하나 얼른 집어 먹고
바람처럼 들판을 가로질러
깡충거리며 가물가물 사라져가고 있었다
누군가 후하고 입김을 부니 캄캄한
어둠이 덮쳐와 호롱불
찾으러 뒤척이는 손 그림자가 등 뒤에서 번득였다
불기 없는 밤의 숨구멍을 비틀어
누군가 내 목구멍에서
뜨거운 호떡처럼 집어 먹은 호롱불 꺼내
본 적 없는 악몽이 칠해지던
흑판을 마구 지우고
호롱불 찾아 들판을 화살처럼 날아가고 있었다

(문학사상 11월)

시 작 노 트

최근 영혼의 무게에 대해 이야기하는 것을 들은 적이 있다. 나의 세대는 혼불의 존재를 가까이 느낀 세대이다. 사람이 죽으면 그 몸에서 마지막 어느 순간 혼불이 빠져 나간다고 생각했다. 초상이 나면 그 집에서 혼불이 나가는 것을 한밤중에 누군가 보았다는 이웃집 사람의 이야기가 하나의 증언처럼 동네에 퍼져 나갔다. 「호롱불」은 가끔 불 꺼진 밤에 떠오르는 혼불의 이미지를 호롱불로 구체화시켜 본 것이다. 전기가 귀하던 시절 호롱불은 우리의 심령에 지대한 영향을 미친 하나의 상징이었다.

호롱불이 꺼지면 캄캄한 밤이 세상을 지배하고 그 어둠 속에 떠도는 귀신이야기가 오래도록 사람들의 상상을 자극해 왔다. 호롱불을 집어 먹고 호롱불을 찾아가는 의식의 과정을 위의 시에서 그려보았다. 호롱불은 인간의 영적 이미지이기도 하다. 그것은 실재하는 나와 또 하나 나의 그림자이다. 캄캄한 어둠 속에서 호롱불을 바라보던 인간의 등 뒤에 서려 있던 자의식의 그림자를 포착하고자 한 것이다. 나도 모르는 순간 내 마음을 떠난 호롱불을 나는 지금도 찾고 있다.

최 동 호 1948년 경기도 수원 출생. 시집으로 『황사바람』『아침책상』『딱다구리는 어디에 숨어있는가』『공놀이하는 달마』『얼음 얼굴』 등이 있음. 현대불교문학상, 고산 윤선도문학상, 박두진문학상, 유심작품상 등 수상. 현재 고려대 문과대 국문과 명예교수 겸 경남대 석좌교수. calliid@naver.com

함기석

살을 굽다

어떤 짐승이 울다 게워놓은 슬픈 새일까
이 흑갈색 조약돌

물의 주름진 속살까지 찬 햇빛들 반짝거리고
불길이 파란 핏줄다발 같다

짐승의 끊어진 앞발 닮은 봄날 주일이다
사방은 정강이 살을 잃어 고요하고

마당 가득 흰 먹물처럼
세 겹 네 겹 내 겹으로 번지는 죽음의 살 냄새

아 저기 솥뚜껑 하늘에서 구름도 지글지글 익고 있다
애야, 천천히 많이 먹으렴,

나는 내 후생의 먼 우주 불탄 집터를 쳐다보다
둥지 잃은 새처럼 말이 야위는데

어머니는 들뜬 틀니로 내 전생 부위 생살을 잘근잘근 씹으며
마른 성냥개비처럼 웃으신다

웃음은 늘 눈에 쓴 독초고 알이어서
그녀 또한 평생을 생활에 쫓긴 짐승이고 찢기는 살이었으니

하늘 가득 어린 멧돼지울음 차고 붉다 시다
날과 알 사이엔 아픈 말, 흐르는 살

냄새가 어머니 얼굴을 더듬어 폐허의 문진을 지우고 있다
사랑은 지붕부터 페이지가 찢겨나간

폐가의 웃음 경經이었으니,
모자는 늘 모자라서 뜨거운 빙판이고 언 불판이었으니

어떤 짐승이 울다 게워놓은 새의 뜨거운 심장일까
이 흑갈색 조약돌

어머니 눈동자 속 사월의 불탄 뒤뜰에서
샘물이 흰 날개를 펴고 있다

(시와표현 3월)

함 기 석 1992년《작가세계》등단. 시집『힐베르트 고양이 제로』등이 있음.
remma@hanmail.net

함명춘

붕어빵 장수

빌딩은 휘황한 골짜기에 서 있는 잡목 같다

그곳에 한 점 불꽃을 달고
한 사내가 묵묵히 붕어빵을 굽고 있다

손님 하나 없는
살고 죽는 일에서조차도 비켜 난
시간마저 붉은 신호등에 걸려 멈춰 선

저 거대한 침묵 속에

사내가 하루 내내 반죽한 흰 살과 내장을 집어넣는다

조금씩 비린내가 새어나온다
그의 손끝에서
지느러미를 꿈틀거리며 붕어들이 쏟아져 나온다

별은 하늘까지 올라가
사내를 내려다보고 있는 붕어의 눈망울이다
도시의 불빛은 서둘러 지은 붕어의 거처이다

오늘 떠오른 이래 처음 웃는 달처럼

거대한 침묵 한 귀퉁이에 걸터앉은 사내가
풀어놓은 붕어들이,

차도와 인도로 골목과 골목 사이로
아가미를 빠끔거리며 헤엄치고 있다

(시인동네 9월)

시 작 노 트

집 뒤엔 야산이 있다. 어머니 품 같아 자주 찾아가곤 한다. 너무 자주 찾아가 걷다보니 좀 지겨워 요즘엔 등산용 스틱을 쥐고 더덕을 찾듯 낙엽 더미며 덤불 속을 뒤지곤 한다. 뒤질 때마다 새 길이 나온다. 잊혀져버린 길도 있고 끊어진 길도 있다. 야산임에도 어머니의 품 같아서 끊임없이 새 길을 내어준다. 이렇게 야산이 끝이 없고 깊을 줄은 몰랐다.

함 명 춘 1991년 《서울신문》 신춘문예로 등단. 시집 『빛을 찾아나선 나뭇가지』, 『무명시인』 등이 있음. 0505hmc@hanmail.net

허연

그해 강설

망했다고 생각했던 날들이 떠올랐다
당신,
그렇게 등 돌리고 가서는
어떻게 그 눈(雪) 많은 날들을 이겨냈는지

세찬 물소리가 혼을 빼가던
강변 민박집에서 눈을 감으면
누군가 떠나가는 소리들이 들리곤 했었지
이른 새벽 구절리로 가는 젊은 영혼이거나
아니면 영월로 야반도주 짐 꾸린 산판인부이거나

그게 벌써 언제지…
막걸리 잔에 맺힌 이슬이 아래로
미끄러지는 걸 보며 나는 자꾸만
궂은 추억에 체머리를 흔들었다

차부에서 십리는 걸어야 했다던
고향집 큰 언니는
이십여 년 전 그날 돌아온 너를 안아주었는지

여기서 멀지 않았었지
칠 벗겨진 이순신 동상 서 있는

2층짜리 교사가 있었고
별이 막 달려든다고
너는 운동장에서 외쳤었지

가뭄 끝은 있어도 홍수 끝은 없다고
우리가 목선에 잠시 태웠던 것들은 이제
어디로 쓸려갔는지 알 수 없고
자꾸 눈을 감는 내게
훅하고 집어등 불빛 같은 게 지나갔다

눈발은 두렵게 날리고
체인 걱정을 잠시 하다가
막걸리 잔을 다시 든다

춥게 살았던 날들
춥게 살았던 내 옛 강변애인에게
차갑게 식은 파전을 집어먹으며
이제서야 말한다
그날이 진경이었음을

(파란 여름)

허 연 1991년 《현대시세계》로 등단. 시집으로 『불온한 검은 피』『나쁜 소년이 서 있다』『내가 원하는 천사』『오십미터』 등이 있음. 현대문학상 시작작품상 수상. kebir@naver.com

2019 '작가'가 선정한

오늘의 시집

강성은 곽효환 기 혁 김

Lo-fi_너는_소피아 로렌의 시간_한

문태준 박라연 박명숙 박

내가 사모하는 일에 무슨 끝이 있나요_헤어진 이름이 태양을 낳았다_그늘의

이영광 이우걸 이정환 초

끝없는 사람_모자_오백년 입맞춤_컵밥 3000 오디세이

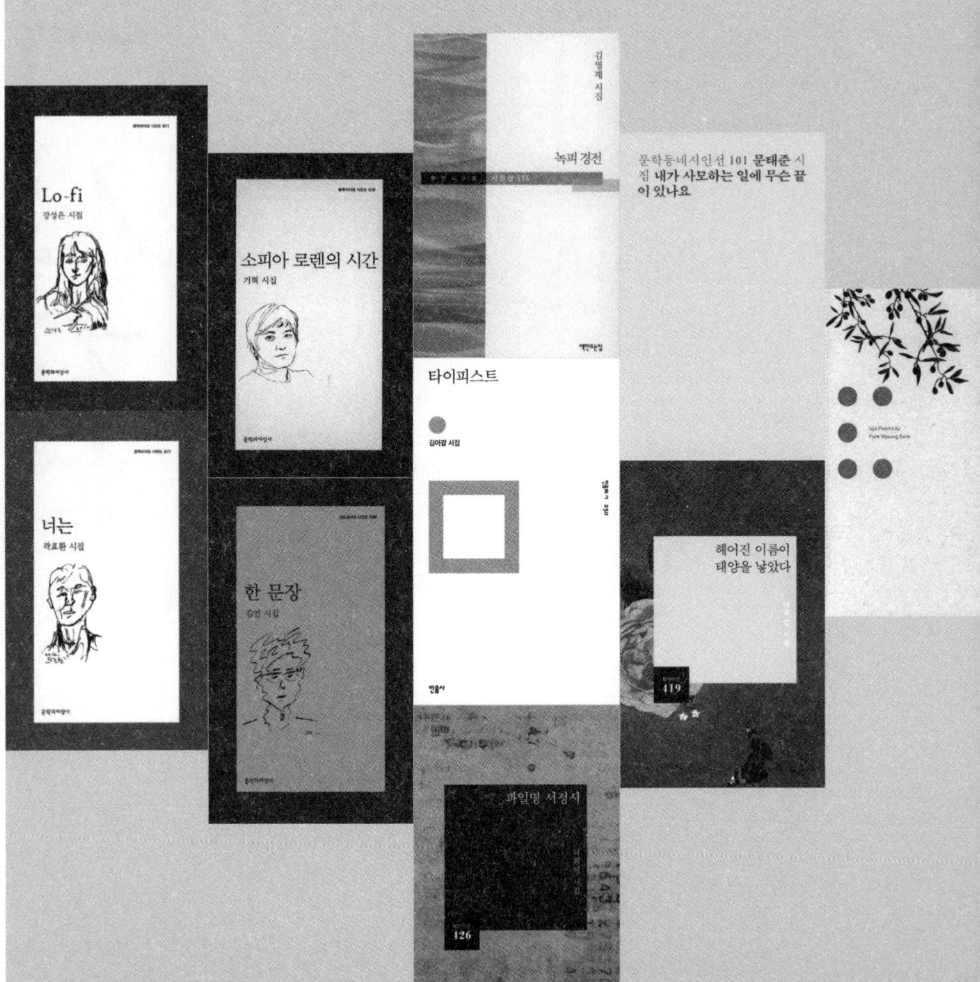

언 김영재 김이강 나희덕

상_녹피경전_타이피스트_파일명 서정시

준 오봉옥 이대흠 이수명

가 함께 장마를 볼 수도 있겠습니다_섯!_당신은 북천에서 온 사람_물류창고

효 홍일표

노래를 가지러 왔다

강성은

고양이가 책상 위에 잠들어 있다
고양이를 깨우고 싶지 않아
나는 따뜻한 음식을 만들기로 한다
손에 든 감자 자루를 놓치자
작은 감자알이 끝도 없이 굴러 나온다
쏟아지는 감자를
어찌할 수 없어 멍하니 바라보는데
갑자기 라디오가 저절로 켜지고
어제 들었던 노래가 흘러나와
밖에선 종말처럼 어두운 눈이 내리고 있고
나는 이제 잠에서 깨버릴 것 같은데
집이 점점 더 깊어지고 있다

―「섣달그믐」 부분

‘지금-여기’라는 알 수 없는 시공간에서

— 강성은 『Lo-fi』 (문학과지성사)

『Lo-fi』를 여는 첫 시는 음력의 마지막 날짜를 의미하는 「섣달그믐」이다. 이는 두 번째 시집 『단지 조금 이상한』을 열었던 첫 시가 삶의 마지막 날짜를 의미하는 「기일忌日」이었던 것과 겹쳐진다. 이처럼 강성은은 끝나야만 새롭게 시작할 수 있는, 죽어야만 새롭게 살아볼 수 시적 상황을 펼쳐 보이곤 한다. 시인의 언술은 독자를 삶과 죽음의 경계라는 시간적 틈새로, 현실과 꿈의 접점이라는 공간적 틈새로 유도한다. 시를 따라 읽던 독자가 어느 순간 살아 있는 것도 죽은 것도 아닌, 현실도 꿈도 아닌 불가해한 지점에 당도하도록 이끄는 것이다. 시인이 펼쳐 보이는 세계의 불확실성을 읽고 난 후, 우리는 어디에 도달하는가. 시적 경험을 통해서만 가능한 생의 이면을 겪고 난 뒤, 우리의 삶에는 무엇이 남는가. 이 시에서 ‘나’에게는 이렇다 할 사건이 발생하지 않은 것처럼 보인다. 그러나 “생각한다”라는 구절이 세 번 반복될 때, 우리는 이 시의 제목인 ‘죄와 벌’을 자연스레 떠올릴 수밖에 없다. 좋은 사람들에게 버려진 ‘나’는 응당 내게 있을 어떤 ‘죄와 벌’을, 아무에게도 고백한 적 없는 ‘죄와 벌’을 상기할 수밖에 없기 때문이다. 그러나 이 시가 시집을 닫는 마지막 시임을 감안할 때, 시인이 “좋은 사람”의 입장에 서서 독자인 우리를 징벌하려는 것은 아니라고 짐작할 수 있다. 이는 문학평론가 장은정의 해설처럼 “좋은 사람”을 “좋은 시”로 바꿔 읽는 순간 납득이 가능하다. 좋은 시들이 몰려와서 자꾸 우리를 먼 곳에 옮겨 놓으면, 우리는 별일 아니라는 듯 흙을 툭툭 털고 일어나 집으로 돌아온다. 쌀을 씻고 숟가락을 들고 잠자리에 눕는 등 평범한 일상을 이어간다. 그러나 우리는 다시금 “생각”하게 된다. 생각하고 또 생각한다. 그것은 아마도 쉽게 잊히지 않는 “좋은 시들”에 관한 생각일 것이다. 강성은은 이 ‘생각’들을 통해 시적 경험이 우리의 현실, 각각의 삶에 현현하도록 이끈다.

— 출판사평에서

강 성 은 1973년 경북 의성 출생. 2005년 《문학동네》 신인상에 「12월」 외 5편의 시가 당선되어 등단. 시집 『구두를 신고 잠이 들었다』 『단지 조금 이상한』이 있음.

곽효환

비에 젖은 통영에 가서 얼마간 머물고 싶다고 했다.
너는
날이 춥고 바람이 차다고 옷을 단단히 입으라고 했다.
나는

바람이 갖지 않으려고 했는데
그게 어렵다고
한꺼번에 울지 않기 위해
아침부터 조금씩 나누어 울었다고 이제
더 이상 소리 내어 울지 않기로 했다고
너는
젖은 나무껍질의 냄새가
몸 구석구석에 배어 지워지지 않는다고
아직 잎새를 다 떨구지 못하고
우두커니 겨울을 맞는 나무 한 그루에
나,라고 이름을 붙였다고 했다
너는

—「너는」 부분

끝내 닿을 수 없는 또 다른 '나'인 '너'에게

— 곽효환 『너는』 (문학과지성사)

곽효환에게 '너'란 무엇일까. '시인의 말'을 빌리면 너는 "타자이면서 우리"이고 "시원이면서 궁극"이며 "끝내 닿을 수 없는 내 안의 타자"이다. 풀어 말하자면 '너'는 기억 속에서만 살아 숨 쉬는 나에게 소중했던 존재이며("피는 일도 지는 일도 한순간/[……]/후드득 떨어져간 그 사람 흉터로 남네", 「그 사람」), "내가 받았고 다시 내 아이에게 건네"주려 하지만 이제는 숨어버린 소박한 전통이기도 하고(「그 많던 귀신은 다 어디로 갔을까」), 옛적 거친 땅 북방을 떠돌던 "지도에는 사라진/고단한 빈손들"(「여름 숲에서 그을린 삶을 보다」)이기도 하다. 곽효환이 시로 되살려내는 장면에는 항상 누군가의 삶과 저마다의 사연이 그려져 있다. 돌이킬 수도, 돌아갈 수도, 닿을 수도 없지만 시인은 시로써 내가 아닌 것들, 그 모든 '너'가 되어보려 한다.

"나 오늘 그때의 당신 그 마음 되어/지우지 못한 아니 지워지지 않은 것들을/아프게 어루만지고 오랫동안 되새깁니다"(「해바라기」). 그러므로 '너'는 어쩌면 시작詩作 생활 내내 시인이 영영 가닿을 수 없는 걸 알면서도 멈추지 않고 찾아 헤맸던 존재들인 것이다. 나에게서 시작한 시는 그렇게 그 모든 '너'를 거쳐 '우리'의 이야기가 된다. '나'는 나를 비워낸 자리에 너의 마음을 담아 '너'가 되어보려 하지만 결국 온전히 '너'를 이해해낼 순 없다. 지난 시집에서 대신 아파하고 고통스러워하는 것이 유효한지 물었던 시인은 '나'는 결코 '너'가 될 수 없음을 인정하면서도 '너'에 가 닿고자 하는 부단한 시도를 끝내 멈추지 않는다.

— 출판사평에서

곽 효 환 1967년 전북 전주 출생. 1996년 『세계일보』에 「벽화 속의 고양이 3」, 2002년 『시평』에 「수락산」외 5편을 발표하며 등단. 시집 『인디오 여인』 『지도에 없는 집』 『슬픔의 뼈대』이 있음, 연구서 『한국 근대시의 북방의식』, 시해설서 『너는 내게 너무 깊이 들어왔다』 등을 비롯하여 여러 권의 편저, 공저와 다수의 논문이 있음. 애지문학상, 편운문학상, 유심작품상 등 수상. 현재 대산문화재단에 재직 중.

기혁

소피아 로렌의 시간
기혁 시집
문학과지성사

저 눈이 마다가스카르 앞바다에서 태어난 구름이라고 생각하면
희망봉 설산의 용을 만난 것 같고, 용을 타고 날아가 스리랑카 홍차로 목을 축인 것도 같고, 인도차이나반도의 거북 껍질로 점괘를 얻은 것만 같다.

숨소리 낭랑한 지붕 위에서 팔짱 낀 중년의 머리끝에서 꾸벅꾸벅
여백을 옆에 앉힌 아가씨에게도
세계의 모든 모서리마다 이부자리를 까는 숫눈.

인도양 너머 동글동글한 새벽이 오면 발자국을 찍을 수 있을까?
종점에 두고 온 꿈결들을 깨울 수 있을까?

팡팡팡 한국산産 눈물이 쏟아진다. 우리는 마다가스카르 펭귄처럼 고개를 들고 눈사람의 진심을 그리워한다.

—「남반구」 부분

청춘의 페이지에 담긴 폐허의 눈빛, 권태의 고고학으로 희망을 말하다

— 기혁 『소피아 로렌의 시간』(문학과지성사)

깊이가 증발한 이 세계의 증인, 시인 기혁의 두번째 시집이 문학과지성사에서 출간되었다. 기이하고 아름다운 시적 무대를 한 편의 부조리극처럼 연출하며 김수영문학상을 수상한 첫 시집 이후 4년 만이다. 이번 시집 『소피아 로렌의 시간』에서 기혁은 메마른 풍경으로만 설명할 수 있는 이 시대의 진실을 '기억'을 통해 선연히 드러낸다. 황량한 세상에 켜켜이 누적된 희미한 삶과 슬픔의 내력은, 65편의 시들에 화석처럼 단단히 남아 있다. 시인은 이 '상처의 일기'로, 돌아가야 할 풍요로운 말과 진정한 삶이 우리에게 있다는 사실을 암시하면서 역설적으로 희망의 증거를 내비치고 있다.

이 시집에서 세계는 똬리를 틀고 있다. 현재는 까마득한 태고와 연결되고, 일상의 집은 황량한 인도 어느 사막으로 이어지며, 사물 세계는 유물들의 전시관이 된다. 전 지구적으로 뻗은 문명론적 촉수는 또 다른 장소와 시간과 사물을 지시하며 연관을 맺고 있다. 타버린 도시의 폐허에 남은 그을음처럼, 세계는 지금 여기가 유일한 시간이 아님을 다만 암시하고 있을 뿐이다. 지금 여기는 지나간 시간의 잔해다. 우리 시대의 진실은 이 지극히 말라붙은 풍경을 통해서만 드러날 수 있다. 심연이 증발한 세계에서 기혁은 그 증발의 풍경을 궁핍한 언어로 드러내면서, 희망을 희망하지 않는 방식으로 희망의 근거를 내보인다. 사막의 어둠 한복판에서 그는 '기억'을 통해 새로운 탄생을 감지하고 있다.

— 출판사평에서

기 혁 1979년 경남 진주 출생. 2010년 《시인세계》 신인상 시 부문, 2013년 《세계일보》 신춘문예 평론 부문으로 등단. 시집 『모스크바예술극장의 기립 박수』가 있음. 김수영 문학상 수상.

자연이 말하는 방식과 내가 말하는 방식이 모두 한 문장이다.
나와 똑같은 인간이 나를 반대하고 있는 사실도 한 문장이다.
따지고 보면 신분 때문에 싸우고 있는 이곳의 날씨와
저곳의 풍토도 한 문장이다.
얼마나 많은 말이 필요할까?
이런 것들을 덮기 위해서
덮은 것들을 또 덮기 위해서
손을 씻고 나오는 사람도
그 물에 다시 손을 씻는 사람도 한 문장이다.
나는 얼마나 결백한가 아니면 얼마나 억울한가
아니면 얼마나 우울한가의 싸움 앞에서
앞날이 캄캄한 걱정 스님의 말씀도 한 문장이다.
옆에서 듣고 있던 격정 스님의 말씀도 한 문장이다.
"흥분을 가라앉혀라."

—「한 문장」 전문

시의 밖을 꿈꾸는 시작詩作

— 김언 『한 문장』(문학과지성사)

김언의 다섯 번째 시집 『한 문장』이 문학과지성 시인선 2018년 첫 책으로 출간됐다. 이번 시집 『한 문장』은 제목에서 기대되는 바와는 달리 하나의 완결된 의미를 만드는 데에 관심을 두고 있지 않다. 오히려 현실의 의미 체계를 뛰어넘는 시도와 현실을 가득 채운 의미 체계를 공동空洞으로 만드는 지속적인 반복의 기록이 고스란히 담겼다. 동시에 언어의 감옥, 답습되는 틀에 갇힌 말을 떠나 언어의 새로운 가능성을 찾아 나서는 김언의 시 세계를 엿볼 수 있다. 표제작의 제목인 "한 문장"만 놓고 본다면, 절대적 지침으로서의 한 문장으로 나아가는 여정 혹은 하나로 수렴되는 방향성을 예상하기 쉽지만 정작 김언의 시는 그렇게 읽히지 않는다.

"자연이 말하는 방식"도 "내가 말하는 방식"도 모두 한 문장이다. 나를 넘어 "이곳의 날씨"와 "저곳의 풍토"도 한 문장이다. 많은 말들을 계속해서 쏟아내고 덮고, 덮은 것들을 다시 덮기 위해 다시 문장을 쏟아내면서, 오히려 '한 문장'의 의미는 모호해지고 만다. 너무 많은 것은 사실 없는 것과 같다는 것을 증명하듯 '한 문장'의 의미는 다시 질문을 만드는 방식으로 열려버린다. 이에 더해 흔히 인생의 통찰을 주기 위해 권위를 지닌 자의 한 말씀을 인용한다는 친숙한 원리를 김언의 시와 비교해보자면, 시의 말미에서 '스님의 말씀'이 갖는 의외성은 몹시 특징적이다. 문장이 중첩되면서 시의 의미를 찾아가는 것이 아니라 오히려 방향을 잃게 만드는, 알던 길도 놓치게 만드는 방식과 마주할 때 김언의 시를 읽는 재미는 배가된다.

– 출판사평에서

김 언 1973년 부산 출생. 1998년 『시와사상』으로 등단. 시집 『숨쉬는 무덤』 『거인』 『소설을 쓰자』 『모두가 움직인다』, 산문집 『누구나 가슴에 문장이 있다』 등이 있음.

김영재

사습이여 야생이여 그대 가죽을 벗겨

인간을 인도하는 신의 말씀 기록하노니

사막의 모든 족속들은 머리 숙여 경배할지니

사람이 한 번이라도 제 가죽에 경전을 적어

형제를 깨우쳤으며 제 몸을 헌신했느냐

녹피여 그대는 영생으로 뭇 생을 구했나니

—「녹피경전」 전문

사막을 여행하면서 둥글어지고 더욱 깊어진 시

— 김영재 『녹피경전』(책만드는집)

「녹피경전」은 사막을 여행하면서 느낀 감상을 그림처럼 보여준다. 「아기 미라」에서는 사막으로 나간 엄마를 기다리는 아기의 외로움을 읽는다. 「타클라마칸」에서는 돌아가지 못할 고향을 떠올리고 「녹피경전」에서는 코란이 된 사슴처럼 누구를 위해 헌신한 적 있느냐고 묻는다.

김영재 시인의 시에는 곳곳에 눅눅한 슬픔이 묻어 있다. 가슴을 아리게 하고 눈가를 촉촉하게 한다. 그러나 시인은 고개만 떨구지는 않는다. 검은 땅을 헤집고 나온 봄풀처럼 절망을 넘어 삶을 긍정한다. 이는 그의 시편이 가진 최고의 미덕이자 사랑받는 이유다.

이번 시집에 담긴 시들의 무게는 한결 묵직하고 포근하게 가슴에 와서 안긴다. 새 시집에서 그가 보여주고 있는 변화는 다분히 둥글고 더욱 깊어졌다. 거칠고 팍팍한 도시의 한복판을 쉼 없이 헤쳐 나온 그의 열정적인 시간을 통하여 숙성된 시편에서는 상생도 상극도 모두 내 편으로 만들고 있는 서늘한 모습을 볼 수 있을 것이다.

– 출판사평에서

김 영 재 1948년 전남 승주 출생. 1974년 《현대시학》 등단. 시집 『히말라야 짐꾼』 『화답』 『홍어』 『오지에서 온 손님』 『겨울 별사』 『화엄동백』 『절망하지 않기 위해 자살한 사내를 생각한다』 『참나무는 내게 숯이 되라네』 『다시 월산리에서』, 시화집 『사랑이 사람에게』, 시조선집 『참 맑은 어둠』 『소금 창고』가 있음, 여행 산문집 『외로우면 걸어라』 등 출간. 순천문학상, 고산문학대상, 중앙시조대상, 한국작가상, 이호우시조문학상, 가람시조문학상 등 수상.

김이강

여러 겹의 꿈으로부터 여러 번 탈출에 성공한 네가 내 곁으로 다가와 앉았다. 이번 것은 내 꿈이야. 나는 생각했지만 아무것도 통제할 수가 없었고. 검고 하얗고 고요한 너의 윤곽 안으로 한 번도 본 적 없는 무늬들이 가득 찬다. 피부일지도 옷일지도 모를 무늬를 접었다가 펼친다. 태양이 밀려드는 바다. 너는 눈을 감는다. 나는 네가 노래하는 것을 들을 수 있다. 너의 목소리 속에서 슬프고 아름다운 이야기들을 발견해 낼지도 모른다고 생각한다. 그렇지만 태양이 밀려드는 바다. 너는 말이 없고 너는 눈을 뜨지 않고 너는 자꾸만 내 주변을 맴돌아 붉게 물들이고 있다. 네가 밀려드는 바다. 그런 바다는 새롭게 쓰여지고 괴로운 역사처럼 거듭되지만

태양이 밀려드는 바다. 눈을 감으면 밀려들어 온다.

—「태양이 밀려드는 바다」 부분

빛과 어둠 속에서 영원을 꿈꾸는 "너"

— 김이강 『타이피스트』(민음사)

빛의 양을 조율하며 언어를 탐구하고 이미지를 재연하는 시인은 사진가나 영화감독에 가깝다. 시간은 빛을 통해 전개되고, 시는 그 빛들이 만들어 내는 독특한 무늬이기 때문이다. 이때 빛과 어둠이 드러내는 대상은 다름 아닌 "너"다. "너"는 내 곁에서 눈을 감고 노래한다. "너"는 누구라고 정의할 수 없는 다수이며, 특정할 수 없는 시간이다. '태양이 밀려드는 바다'처럼 이미지는 어딘가에 고착화되지 않고 끊임없이 움직이는 것임을 시인은 "너"를 통해 나타낸다. 이 반복이 꿈꾸는 것은 영원성이다. 그러나 현실의 공간에서 시간은 유한하다. 바다에 "괴로운"이라는 말을 새겨 놓은 것은 이러한 사실을 강조하기 위함인지도 모른다. 무한을 꿈꾸지만, 그것은 유한 속에서 어렵게 일어나는 사건임을 씁쓸하게 새겨 놓으며 시인은 현실의 괴로움과 어려움을 배제하지 않는다. 고난을 배제하지 않는 것. 이는 『타이피스트』의 윤리이기도 하다. 어둠이 극에 달할 때, 시인은 양초에 불을 붙인다. 갑작스러운 빛의 침입에 시선은 분산되고 잘 차려진 식탁은 자리에 앉아 보기도 전에 환상처럼 녹아내린다. 이들은 질료를 더욱 들여다보게 할 뿐만 아니라 일상의 감각을 흐트러트린다. 안정화가 깨어지면서 나타나는 것은 '불안'이다. 어둠이 이미지의 밑바탕에서 끊임없이 요동쳐 새로운 감각들을 깨어나게 했듯이 불안도 마찬가지로 우리 내부에서 끊임없이 요동쳐 잠재된 기억을 회복하게 한다. 시인이 시 내부에서 일으킨 변화가 시 바깥으로, 우리에게로 흘러들어 오는 것이다. "너"의 손짓으로 부수어진 언어를 다시 깊고 넓게 회복시키는 것. 언어에 더 많은 빛을 비추고 어둠으로 이미지에 잠재된 가능성을 일깨우는 것. 시인이 꿈꾸며 추구했던 것이 아닐까.

— 출판사평에서

김 이 강 1982년 전남 여수 출생. 2006년 「시와 세계」로 등단. 시집 『당신 집에서 잘 수 있나요?』가 있음. 제2회 혜산 박두진 젊은 시인상 수상.

나희덕

그들은 〈서정시〉라는 파일 속에 그를 가두었다
서정시마저 불온한 것으로 믿으려 했기에

파일에는 가령 이런 것들이 들어 있었을 것이다

머리카락 한줌
손톱 몇조각
한쪽 귀퉁이가 해진 손수건
체크무늬 재킷 한벌
낡은 가죽 가방과 몇 권의 책
스푼과 포크
고치다 만 원고뭉치
은테 안경과 초록색 안경집
침묵 한병숲에서 주워온 나뭇잎 몇 개

붕대에 남은 체취는유리병에 밀봉되고
그를 이루던 모든 것이 〈서정시〉 속에 들어 있었을 것이다

—「파일명 서정시」 부분

이 사랑의 나날 중에 대체 무엇이 불온하단 말인가

— 나희덕 『파일명 서정시』(창비)

삶의 숱한 참혹과 어이없는 죽음들 앞에서 시인은 무언가 말해야 한다는 의무감과 무엇도 말할 수 없다는 절망감 사이에서 어떤 말도 무의미하고 무기력하다는 것을 절실히 깨닫는다. 그러나 "문턱을 넘지 못한 사람들"과 "아직 돌아오지 못한 사람들"이 있기에 시인은 "간신히 벌린 입술 사이로 빠져나온 말들"과 "아직 빠져나오지 못한 말들"('문턱 저편의 말')을 뱉는다. 이 비명 같은 말들은 서로 이어져 말다운 말이 되고, 다시 다른 말을 불러내 끝내 노래가 된다. 『파일명 서정시』의 노래는 슬픔의 힘으로 죽은 자를 불러내고, 비극을 움켜쥐고, 폭력을 직시하는 노래다. 진혼의 노래이자 저항의 노래다. 하나의 노래가 끝나고 다시 새 노래가 시작되기 전 흐르는 침묵, 이 찰나의 침묵에서 시인과 우리는 "죽어가는 존재들도/여기서는 잠시 숨을 돌릴 수 있는" "불가능한 것의 가능성"('여기서는 잠시')을 떠올려보기도 한다. 시인은 고대 인도의 탄센 설화, 구동독 정보국이 시인 라이너 쿤쩨를 사찰한 기록, 행위예술가 마리나 아브라모비치의 퍼포먼스, 아우슈비츠 생존 작가 쁘리모 레비의 증언, 추상표현주의 화가 마크 로스코의 작품, 끌라우디아 요사 감독의 영화, 공동체주의자 찰스 테일러 등 다른 장르의 텍스트를 재구성해낸다. 세계의 참혹을 응시하는 다른 눈들과 눈을 마주치며, 세상을 향해 끊임없이 부르는 자신의 노래가 여전히 아름다운 화음이 되기를 바라며.

— 출판사평에서

나 희 덕 1966년 충남 논산 출생. 1989년 중앙일보 신춘문예에 시 「뿌리에게」로 등단. 시집 『뿌리에게』 『그 말이 잎을 물들였다』 『그곳이 멀지 않다』 『어두워진다는 것』 『사라진 손바닥』 『야생사과』 『말들이 돌아오는 시간』, 시론집 『보랏빛은 어디에서 오는가』 『한 접시의 시』 『파일명 서정시』 등, 산문집 『반통의 물』 『저 불빛들을 기억해』 『한 걸음씩 걸어서 거기 도착하려네』 등이 있음. 김수영문학상, 오늘의 젊은 예술가상, 현대문학상, 이산문학상, 소월시문학상, 임화예술문학상, 미당문학상 등 수상. 서울과기대 문창과 교수.

문태준

문학동네시인선 101 **문태준** 시집 **내가 사모하는 일에 무슨 끝이 있나요**

내가 사모하는 일에 무슨 끝이 있나요
한 바퀴 또 두 바퀴

호수에는 호숫가로
밀려 스러지는 연약한 잔물결
물위에서 어루만진 미로
이것 아니라면
나는 아무것도 아니에요

—「호수」 부분

'더할 나위 없음'이란 이 시집을 말하는 한 문장

— 문태준 『내가 사모하는 일에 무슨 끝이 있나요』(문학동네)

문태준의 시를 따라 읽어온 독자들이라면 이번 시집의 제목에 조금은 놀랐을지도 모르겠다. 한 단어이거나 짧은 수식 구조의 제목만을 가져왔던 지난 시집들과 달리 『내가 사모하는 일에 무슨 끝이 있나요』라는 문장형의 제목으로 찾아뵌 터. 그러나 조금은 낯설게도 느껴지는 이 제목은 더욱 낮아지고, 여려지고, 보드라워진 시인의 목소리를 반영한 것이자 삼라만상을 '사모'의 마음으로 올려다보는 시인의 시선을 잘 대변해주는 문장이기도 하다. 시인의 이런 이행移行을 '변신'이라 부를 수는 없을 것이다. 이것은 오히려 '변화'에 가까운 것으로, 그 변화 역시 그의 시를 닮아 하루해가 변하며 만들어내는 하늘 색, 구름이 만들어내는 무늬, 계절이 바뀌어갈 때 물들어가는 잎처럼 천천하고 자연스러운 모습이다. 지구가 자전하는 속도로, 때로는 공전하는 속도로 시인은 완보하며, 깊어지며, 길어올린다.

시인은 '흰 뼈만 남은 고요'처럼, 아끼고 아껴 남겨놓은 단어로 시와 삶을 지어 건넨다. 때로 그 지극한 무구와 순수는 동심으로 가닿기도 하는데, 그가 자주 사용하는 꽃, 돌, 물, 산, 해, 나무와 같은 시어는 우리가 태어나 처음으로 듣고 배운 단어와도 닮지 않았는가? 시인의 순정한 목소리를 따라가다보면 비워내고 덜어낸 자리에서 솟아나는 풍경을 만나게 될 것이다. 말이 사라진 곳에서 오히려 들려오는 이야기들에 귀기울이게 될 것이다. 나뭇가지가 조금만 진동해도 함께 떨리고, 부사 하나에도 깜짝 놀라며, 종결 어미의 변화에 완전히 달라지는 뉘앙스를 느끼는 시인의 경험은 고스란히 우리의 체험이 될 것이다.

— 출판사평에서

문 태 준 1970년 경북 김천 출생. 1994년 《문예중앙》 신인문학상을 통해 등단. 시집 『수런거리는 뒤란』 『맨발』 『가재미』 『그늘의 발달』 『먼 곳』 『우리들의 마지막 얼굴』이 있음. 유심작품상, 미당문학상, 소월시문학상, 서정시학작품상, 애지문학상 등 수상.

박라연

성난 불우가
죄 없는 세계의 절반을 점거했을 때에도
누군가의
따뜻함은 흘러가 사과를 붉어지게 하고
상처는 흘러가 바다를 더 깊고 푸르게 하는 걸까

얼마나 많은 이름들이 제 이름을 부르며 어디까지
나아갈까
아픔에게 포위되지 않으려고 나무를 뚫고
물을 뚫고 언제까지 다이빙할까

그런데 이 마음은 또 뭐지
성난 불우에게 아군이고 싶은 이 마음 말이야
마음 너머로
끝없이 펼쳐지는 금빛 물결은 누가 보낸 설렘이지
위로의 빛은 어디서 오나

헤어진 이름을 수없이 부를 때 딱
한번은
나타나주는 순간 바다였을까

—「헤어진 이름이 태양을 낳았다」 부분

패자와 잊힌 것들의 공동체에 닿아 있는 다감한 시선

— 박라연 『헤어진 이름이 태양을 낳았다』(창비)

문학평론가 김종훈은 해설에서 "타인의 고통을 덜기 위해 자신의 고통을 늘리는 것이 그에게는 '진화'이다"라고 말하며, 폐허처럼 변한 지상을 바라보는 시인의 시선을 일컬어 '천사의 시선'이라 명명한다. 작은 불씨 같은 시인의 시선은 일상과 불안, 삶과 죽음 등에 번갈아 충돌하며 불꽃을 틔우고 불길을 이어나간다. 시인의 내면을 넘어 일은 불길은 공동체와 만나게 되는데, 이 만남의 방식은 '화엄'이라는 장엄보다는 '화음'이라는 화합에 가깝다. 마치 "불우가 죄 없는 세계의 절반을 점거"(「헤어진 이름이 태양을 낳았다」)하는 것처럼, 혹은 "당신이 어디쯤 저물어가듯 호주머니 속 오래된 실패들이 어디쯤 저물어" 가는 것처럼.

박라연의 이번 시집에는 서정시의 전통적 방식인 '투사'와 시인만의 독특한 시적 방법론인 '직접 발화'가 뒤섞여 있다. 구별 없음의 자유로운 시 정신과 다채로운 언어의 힘으로 시인은 개인의 고통과 타인의 고통을, 슬픔이라는 근원과 아픔이라는 구체를 동시에 살피고 톺는다. 아슬아슬한 외길이면서도 동시에 어느 한쪽으로 기울지 않는 행보 덕분에 시편들은 절제와 직설이라는 미학을, 시인은 비관의 직관이라는 정신을 역설적으로 만나고 있는지도 모른다. 지금도 박라연의 시는 현재 진행형이다. 시인은 세계의 양면을 동시에 바라보는 일에 여전히 몰두하며 스스로 넓어지고 있다. 숱한 존재의 내면과 외연은 드넓은 시의 들판에서 언어로 깃들고 리듬으로 머물며 시인과 함께 "제법 긴 이름으로 살아"(「즐거운 진화」)가리라.

— 출판사평에서

박 라 연 1951년 전남 보성 출생. 1990년 《동아일보》 신춘문예에 당선되며 등단. 시집 『서울에 사는 평강공주』 『생밤 까주는 사람』 『너에게 세들어 사는 동안』 『공중 속의 내 정원』 『우주 돌아가셨다』 『빛의 사서함』 『노랑나비로 번지는 오후』 등이 있음. 윤동주상 문학 부문 대상, 대한민국문화예술상, 박두진문학상 등 수상.

박명숙

느티나무 긴 팔 내려 첫 소식을 받는다

거미발처럼 몰려들어 일렁이는 푸른 획들

살팍한 그늘의 문장으로 입하가 오고 있다.

—「그늘의 문장」 전문

서정적 황홀 혹은 서정의 유토피아

— 박명숙 『그늘의 문장』(동학사)

박명숙의 시들은 간결하고 깔끔하다. 그러나 이런 특징들은 장르의 압축적 성격에서 오는 것은 아니다. 그의 작품들은 짧기는 하되, 꼭 필요한 이 시대의 잠언들이 잘 조직된 얼개처럼 펼쳐져 있다. 이를 짧은 서정 양식에서 표현하는 것은 쉬운 일이 아니다. 그것은 시인의 역량이거니와 우리는 시인이 던지는 그러한 서정의 짜임 속으로 자연스럽게 육박해들어간다. 이 시대에 필요한 서정적 황홀이란 무엇인가, 혹은 서정의 유토피아란 무엇인가에 대한 이해의 폭을 넓혀가는 것이다.

– 송기한(문학평론가·대전대학교 교수)

「서천」은 여성의 내면에 자리 잡은 기억과 욕망의 모티프를 흐르는 물의 이미지에 실어낸 매우 상징적이고 함축적인 시편이다. 삶의 한 고비를 지나며 떠도는 영혼을 위로함으로써 스스로를 위로하는 종교의식이 수륙제라면 시인은 빨래라는 일상의 가사 행위로 그 의식을 대신하고 있다. 옷가지를 손으로 치대고 물에 얼룩을 씻으며 과거를 수장水葬시키고 있는 것이다. 상처를 갈망하고 흉터를 자원하는 모순의 반복이 사랑이라는 사건이며 그 사랑에의 욕망과 좌절과 상처와 회복으로 삶은 이루어진다.

– 박진임(문학평론가·평택대학교 교수)

박 명 숙 1956년 출생. 1993년 《중앙일보》 신춘문예 시조 부문, 1999년 《문화일보》 신춘문예 시 부문에 당선되며 등단. 시집 『은빛 소나기』 『어머니와 어머니가』, 시선집으로 『찔레꽃 수제비』가 있음. 열린시학상, 중앙시조대상 등 수상.

박준

그곳의 아이들은
한 번 울기 시작하면

제 몸통보다 더 큰
울음을 낸다고 했습니다

사내들은
아침부터 취해 있고

평상과 학교와
공장과 광장에도
빛이 내려

이어진 길마다
검다고도 했습니다

내가 처음 적은 답장에는
갱도에서 죽은 광부들의
이야기가 적혀 있었습니다

—「장마 – 태백에서 보내는 편지」 부분

시인의 서정성과 섬세한 언어

— 박준 『우리가 함께 장마를 볼 수도 있겠습니다』(문학과지성사)

시인은 말한다. 우리가 함께 장마를 볼 수도 있겠다고. '보고 싶다'는 바람의 말도, '보았다'는 회상의 언어도 아니다. '볼 수도 있겠다'는 미래를 지시하는 언어 속에서 우리는 언젠가 함께할 수도 있는 시간을 짚어낸다. 함께 장마를 보기까지 우리 앞에 남은 시간을 담담한 기다림으로 채워가는 시인의 서정성과 섬세한 언어는 읽는 이로 하여금 묵묵히 차오르는 희망을 느끼게 한다.

이 시집의 화자는 기다리는 사람이다. "낮에 궁금해한 일들"에 대한 답은 "깊은 밤이 되어서야" 알 수 있다(「낮과 밤」). 그런데 박준의 화자 "나"가 기다리는 것은 미래의 무언가가 아니라 과거에 이미 지나가버린 것들이다. 과거에 서로를 다정하게 호출했던 안부의 말, 금세 잊어버릴 수도 있었을 일상의 말들. 오늘의 내게 당도하는 말들은 과거에 있었던 기억의 한 풍경들이다.

과거가 현재로 도착하는 것이라면, 필연적으로 지금 이 순간은 미래로 이어질 것이다. 태백에서 "나"는 두 번의 편지를 쓴다. 첫번째 편지에서 나는 "갱도에서 죽은 광부들"의 이야기를 쓰지만 곧 "그 종이를 구겨버"린다. 그리고 두 번째 편지에서 "우리가 함께 장마를 볼 수도 있겠"다는 문장으로 시작하는 편지를 새로 적는다. 처음 쓴 편지에서 이미 벌어진 일들을 풀어놓았다면, 그다음 편지는 미래에 일어날 일을 지시하는 말이 적힌다. 나는 아직 미래에 닿지 않았지만, 현재의 시간을 충실히 보내다 보면 미래의 나는 당신과 함께 장마를 볼 수 있는, 바로 그곳으로 향할 수 있다.

— 출판사평에서

박 준 1983년 서울 출생. 2008년 《실천문학》으로 등단. 시집 『당신의 이름을 지어다가 며칠은 먹었다』, 산문집 『운다고 달라지는 일은 아무것도 없겠지만』이 있음. 신동엽문학상, 오늘의 젊은 예술가상 수상.

오봉옥

우리를 숨죽이게 한 건 3.8선이 아니었다
검문하러 올라온 총 든 군인도
검게 탄 초병들의 날카로운 눈빛도 아니었다
기찻길 건널목에 붉은 글씨로 써놓은 말 섯!
그 말이 급한 우리를 순간 얼어붙게 만들었다
두 다리로 짱짱히 버티고 서 고함을 지르는 섯,
그 뒤엔 회초리를 든 호랑이 선생님이
두 눈 부릅뜨고 서 있는 것 같았다
머리에 모자를 쓰고 있는 것도 아닌데
커다란 방점이 떠억 하고 찍혀 있는 것 같았다
멈춤 정도야 뭐 말랑말랑한 말로 느껴질 뿐이었다
섯에 비하면 정지나 스톱 같은 말도 그저
앙탈이나 부리는 언어로 느껴질 뿐이었다
남에서 올라온 내 발 앞에 쾅,
대못을 박고 가로막는 섯!
그 섯 가져와 자살 바위 옆에 세워두고 싶었다
그 섯 가져와 기러기 떼 날아가는 노을 속에
슬그머니 척, 걸어두고 싶었다

—「섯!」 전문

새로운 시작詩作의 길을 제시

— 오봉옥 『섯!』(천년의시작)

최근 시들을 보면 그가 얼마나 감성 짙은 서정시를 쓰는 시인이 되었는지를 알 수 있다. 체 게바라의 길을 가고자 했던 그가 시대의 변화 속에서 어떠한 내면적 방황을 거쳐 삶의 깊은 곳에 다다르게 되었는지, 사랑과 감성의 힘을 재발견하게 되었는지 보여 주고 있다. 오봉옥이 보여 주는 시적 인식은 윤리적 행위와 연결되어 드러나는 경우가 많다. 「시」「기억의 변증법」「아내」 등이 그러하다. 그 중 「와삭!」은 대상에 대한 시적 인식과 감각적 경험의 관계를 보여 주면서 새로운 시작詩作의 길을 제시하고 있어 주목된다.

– 이성혁(문학평론가)

오봉옥 시인의 「등불」은 동시처럼 예쁜 시이다. 알아들을 수도 없는 요설이 장황하게 이어지는 시들을 보다 이런 시를 보면 기분이 환해진다. 근래의 우리 시는 시의 본질, 정석으로부터 너무 멀리 떨어져 있다. 그러다 보니 독자들도 다 잃어가고 있다. 이제 이렇게 예쁘고 메시지도 확실한 시로 독자들을 다시 불러 모아야 할 때이다. 아이들에게 읽히고 싶고 예쁜 시이나 이 시는 동시는 아니다. 동심, 우리네 본래 마음으로 돌아가 이웃과 어울려 살자는 메시지를 동시풍으로 전하고 있는 것이다.

– 이경철(문학평론가)

오 봉 옥 1962년 광주 출생. 1985년 『창작과 비평』으로 등단. 시집 『지리산 갈대꽃』『붉은 산 검은피』『나 같은 것도 사랑을 한다』『노랑』, 산문집 『난 월급받는 시인을 꿈꾼다』, 동화집 『서울에 온 어린왕자』, 비평집 『시와 시조의 공과 색』 등이 있음. 현재 서울디지털대학교 문예창작학과 교수. 《문학의 오늘》 편집인.

이대흠

당신은 북천에서 온 사람
이마에서 북천의 맑은 물이 출렁거린다
그 무엇도 미워하는 법을 모르기에
당신은 사랑만 하고
아파하지는 않는다

당신의 말은 향기로 시작되어
아주 작은 씨앗으로 사라진다

누군가가 북천으로 가는 길을 물으면
당신은 그의 눈동자를 들여다본다
거기 이미 출렁거리는 북천이 있다며
먼 하늘을 보듯이 당신은
물의 눈으로 바라본다

그러던 순간 그는
당신의 눈동자에 풍덩 빠진다

—「당신은 북천에서 온 사람」 부분

시적·인간적 국량局量을 극점까지 끌어올린 시

— 이대흠 『당신은 북천에서 온 사람』 (창비)

시인은 "누군가를 오래 그리다보면 문득 그의 얼굴이 얼룩 속에서 살아난다"(「얼룩의 얼굴」)는 것을 안다. "사무쳐 잊히지 않는 이름" "애써 지우려 하면 오히려 음각으로 새겨지는 그 이름"(「목련」)을 그리워하는 마음이 아니라면 그런 일이 가능하기나 할까. 그런데 "사랑을 할 줄만 알아서/무엇이든 다 주고/자신마저 남기지 않"(「당신은 북천에서 온 사람」)은 채 사라져간 '당신'은 시인이 그토록 그리워했던 이이기도 하고, 어쩌면 시인 자신인지도 모르겠다. "그대가/그대로 있는 것만이 사랑"(「북천의 봄」)이고, "꽃의 말과 새의 말과 사람의 말이/구분되지 않는"(「북천의 물」) 곳, 삶의 근원적 성소聖所 '북천'에서 시인은 "얼고 녹고 부서지고 타버려도/사라지지 않을" 웅숭깊은 "사랑의 말"(「북천에서 쓴 편지」)을 노래한다.

어느덧 지천명의 나이에 등단 25년을 맞은 시인은 "먼지 하나에도 한 우주가 들어 있을 것 같다는 생각"(「너무 꽉 끼고 구겨진 우울을 입은 저물 무렵」)을 간직하는 사람이다. 특히 이번 시집에서는 "말이 지닌 본디의 것을 살리는 데 애를 썼다"(시인의 말)고 한다. "시적·인간적 국량局量을 극점까지 끌어올린" (유성호, 해설) 이번 시집이 일궈낸 시적 성취는 실로 풍성하다. 그러므로 "뿌리가 살아 있는 시를 쓰기 위해 치열했을 시인의 모습이 뭉클 겹쳐"지는 "이 시집의 탄생을 오래 축하하게 되리라"(함민복, 추천사)는 말이 비단 입에 발린 인사치레만은 아닐 것이다.

– 출판사평에서

이 대 흠 1967년 전남 장흥 출생. 1994년 『창작과비평』에 「제암산을 본다」외 6편, 1999년 《작가세계》에 단편소설 『있었다, 있다』를 발표하며 등단. 시집 『눈물 속에는 고래가 산다』 『상처가 나를 살린다』 『물속의 불』 『귀가 서럽다』 등이 있음. 현대시동인상, 애지문학상, 육사시문학상 등 수상. 현재 〈시힘〉 동인으로 활동 중.

이수명

우리는 물류창고에서 만났지
창고에서 일하는 사람처럼 차려입고
느리고 섞이지 않는 말들을 하느라
호흡을 다 써버렸지

물건들은 널리 알려졌지
판매는 끊임없이 증가했지
창고 안에서 우리들은 어떤 물건들이 있는지 알아보기 위해
한쪽 끝에서 다른 쪽 끝으로 갔다가 거기서
다시 다른 방향으로 갔다가
돌아오곤 했지 갔던 곳을
또 가기도 했어

(중략)

창고를 빠져나가기 전에 정숙을 떠올리고
누군가 입을 다물기 시작한다
누군가 그것을 따라 하기 시작한다
그리하여 조금씩 잠잠해지다가
더 계속 계속 잠잠해지다가
이윽고 우리는 어느 순간 완전히 잠잠해질 수 있었다

—「물류창고」 부분

어디에나 있지만 어디에도 없는 새로운 시적 공간

— 이수명 『물류창고』 (문학과지성사)

어디에나 있지만 그래서 오히려 인식되기 어려운 곳, 이수명의 물류창고에서 우리는 이상한 광경을 목격하게 된다. 분명 누군가가 있는데 그런데 그들은 마치 "창고에서 일하는 사람처럼" 차려입고, "담당자처럼" 돌아다니며, "꼼짝할 수 없는 것"처럼 보일 뿐이다. 담당자면 담당자고, 일을 하면 하는 것일 텐데, '~처럼' 보인다는 시인의 언술은 무엇을 의미하는 것일까.

해설을 쓴 문학평론가 조재룡은 『물류창고』 속 시 세계에는 "'끝없는 끝에서 in fine sine fine' 오고가기를 반복하거나 그마저 왔다 갔다, 그저 따라 하는 주체가 있을 뿐"이라며, "새로운 행위는 실행되지 않는다"는 지점에 주목한다. 특히 시인은 「물류창고」 열 편과 그 외의 시들을 교차로 배치시키는 동시에, 무한한 행위가 반복되는 공간으로서의 물류창고 역시 반복되도록 위치시킴으로써 이러한 효과를 증폭한다. 누가 무엇을, 어떻게 한다는 것을 명확히 알기 어려울 때 우리는 자동적으로 이런 질문을 떠올릴 수밖에 없다. 대체 여기서 뭘 하려는 걸까? 결국 "여기서 뭘 하려던 거지"라는 질문 앞에서 화자는 "글쎄 모르겠어"라고 답하는 것 외에 달리 할 수 있는 일은 없음을 확인하는 데 이른다. 무한히 반복되는 행동들에 의미를 부여하는 것이 불가능하다는 결론에 다다르고도 그 행동을 계속하는 것 외에 달리 뭔가 할 것도 없는 상태 속에 이 시집은 놓여 있다. 알 수 없고, 할 수도 없는 상황 속에서 우리는 무효로 수렴되는 행위를 엿볼 뿐이다. 영원히 무효의 지점에 도달하는 곳이 바로 이수명의 물류창고들이다.

– 출판사평에서

이 수 명 1965년 서울 출생. 1994년 《작가세계》로 등단. 시집 『새로운 오독이 거리를 메웠다』 『왜가리는 왜가리놀이를 한다』 『붉은 담장의 커브』 『고양이 비디오를 보는 고양이』 『언제나 너무 많은 비들』 『마치』, 연구서 『김구용과 한국 현대시』, 평론집 『공습의 시대』, 시론집 『횡단』 『표면의 시학』, 번역서 『낭만주의』 『라캉』 『데리다』 『조이스』 등이 있음. 박인환문학상, 현대시 작품상, 노작문학상, 이상시문학상, 김춘수시문학상 등 수상.

누가 써 보내라 하지 않아도
강제로 쓴다
한 해에 두세 군데 청탁이 오기 전에
겁을 집어먹고 벌써
쓰고 있다

무엇이 강제하는지 모르고
집에서 밥집에서 길에서
멍청하게 멈춰 강제로,
억지로 쓴다
강제를 쓴다

밥은 안 되지만 밥벌이하듯 쓴다
돈은 안 되지만 돈의 노예처럼 쓴다
이름은 없지만 정말
무명이 되어 쓴다
무명으로 쓴다

—「그 시인」 부분

참담한 현실을 오롯이 감각하는 시

— 이영광 『끝없는 사람』(문학과지성사)

이영광은 '알 것 같은 어제'(과거)와 '알 수 없는 오늘'(현재)이 이루는 부정교합의 층위에서 시적 상황을 만들어낸다. 눈에 띄는 점은 그가 성급히 희망을 움켜쥐고 미래로 나아가기보다 앎과 알지 못함의 간극을 골똘히 응시함으로써 마비되지 않으려고 부단히 애쓴다는 사실이다. 이는 시인이 "어떻게 살아야 할지" "캄캄히 다 알아버린 것 같은 밤"에도 "징역 살고 싶다"고 간절히 소망함으로써 "이 신기한 지옥"을 쉽사리 벗어나려 하지 않는 모습에서 반복된다(「무인도」). 이영광에게 삶을 제대로 실감하는 일이란, 즉 사람답게 사는 일이란 어떤 확신과 오만도 없이 현실의 괴로움에 고스란히 노출되는 것을 의미하기 때문이다.

그렇다면 시인이 세계의 고통을 감지하는 방식은 무엇인가. 그것은 바로 사람이 지닌 물질적 한계이자 유일하게 외부와 소통 가능한 통로인 '몸'이다. 시인은 머리로 '생각'만을 질기게 이어가기보다 몸소 움직이는 활동을 통해서, 상황에 투신하여 목격자로 자리매김함으로써 이 세계를 오롯이 감각하고자 한다. 시인에게 "푸줏간 집 바닥에 미끈대던 핏자국"은 "눈물"이며 "마음의 통증"이다. 이처럼 이영광은 보이지 않는 마음, 우리가 타인에게 꺼내 보여줄 수 없는 의지가 결국에는 처절한 고통을 앓고 난 이후의 몸으로 발현 가능하다고 믿는다. 이러한 '능동적 통증'을 통해서만 사람이 사람이기를 망각하지 않을 수 있다고 말한다. 문학평론가 양경언의 해설처럼 이영광은 "통증을 앓는 일에 주저하지 않기로 한 자"이며 "수인의 숙명"을 타고난 자이다. 그러므로 『끝없는 사람』은 현실의 고통을 온통 뒤집어쓴 채 그 안에서 두 눈을 부릅뜨고 서 있는 시인을 만나는, 끝없는 실천 의식으로 사람 되기를 멈추지 않는 생과 조우하는 놀라운 시적 경험을 안겨줄 것이다. —출판사평에서

이 영 광 1965년 경북 의성 출생. 1998년 《문예중앙》에 「빙폭」 등으로 등단. 시집 『직선 위에서 떨다』 『그늘과 사귀다』 『아픈 천국』 『나무는 간다』가 있음. 노작문학상, 지훈상, 미당문학상 수상. 현재 고려대학교 미디어문예창작학과 교수로 재직 중.

이우걸

1
모자의 내면을 다 읽는 사람은 없다
모자는 모자니까 그저 쓰고 있을 뿐이다
그러나 그저 단순히 모자인 모자는 없다
튼튼한 방패거나, 섬세한 장식이거나, 눈부신 휘장이거나 또 하나의 가면이거나……

수많은 필요에 의해
모자는 태어난다

2
오늘 아침 세수를 하다
속이 빈 머리를 보고
내 허전을 달래기 위해 백화점에 나와서
비로소 모자를 본다
모자를
읽어본다

—「모자」 전문

열렬히 가득 채웠던 공허의 또 다른 자리

— 이우걸 『모자』(시인동네)

현대시조의 현대성 확보에 크게 공헌해온 이우걸 시인의 신작 시집 『모자』가 출간되었다. 시인은 그동안 시조라는 하나의 장르를 어렵게만 생각하던 독자들에게 시집, 비평집, 산문집 등으로 보다 내밀하고 가까운 세계를 제시해왔다. 이번 시집에서는 시인의 더 농밀해진 존재의 본질 탐구를 엿볼 수 있다. 시인은 나이 들어감에 따라 겪게 된 자연스러운 인식과 생의 한가운데를 버티고 서 있는 자아를 만나게 한다. 어쩔 수 없음에 이르지 않고, 끝없이 새로운 욕망을 출현시키면서 생生을 갱신한다. 그 방향성이 시집에 수록된 67편의 작품에 고스란히 녹아 있다.

시집의 표제작처럼 '모자'의 안과 밖의 서로 다른 세계를 동시에 인식하면서 '비우기'와 '채우기'의 연속이었던 지난 삶을 회고하게 한다. 비로소 모자를 읽을 수 있게 된 시인의 그다음이 여전히 궁금한 이유도 여기에 있다. 시간으로부터 채워지는 일에 멈춰버리지 않고, 시인은 시조를 통해 끊임없이 경계하고 대결하고 있기 때문이다. 비워짐이 찾아들기에, 새롭게 찾아들 그다음이 궁금해지는 것, 이우걸 시인의 이번 시집 『모자』는 그런 점에서 언젠가를 열렬히 가득 채웠던 공허의 또 다른 자리이기도 하다.

해설을 쓴 김경복 평론가는 "죽음의 문제로 고뇌하는 노년의 자아에서 자기 구원을 얻기 위해 의지적 지향으로 추구했던 시적 건축물 끝에서 자연의 성현을 발견"하게 되는 시인을 발견한다. 그것은 곧 이 시집의 내밀한 중심까지 이야기할 수 있다.

– 출판사평에서

이 우 걸 1946년 경남 창녕 출생. 1972년 《현대시학》에 「이슬」「지환」「편지」「설야」「도리원 주변」 등의 작품으로 등단. 1982년 김교한 시인과 '마산시조문학회' 결성. 시집 『지금은 누군가 와서』, 『빈 배에 앉아』, 『네 사람의 얼굴』(공저), 『저녁 이미지』, 시조산문집 『나는 아직 안녕이라고 말할 수 없다』(공저), 사화집 『다섯 빛깔의 언어 풍경』(공저), 시조평론집 『우수의 지평』 등이 있음. 성파시조문학상, 정운시조문학상, 경상남도 문화상(문학부문), 중앙시조대상 수상.

이정환

느티나무

오백년오

백년그늘

아래뜨거

운입맞춤

이시간을

멈추게했

네시간을

멈추게했

네오백년

입맞춤이

—「오백년 입맞춤」 전문

느티나무 오백년 그늘이 만들어낸 사랑의 역사

―이정환 『오백년 입맞춤』(작가)

혼자 살피는 시간, 혼자 걷는 길, 혼자 보는 영화, 혼자 바라보는 나뭇잎, 혼자 우러르는 산 능선, 바다 물결, 꽃구름과 해풍. 온전히 혼자가 될 때 애월 바다가 눈에 들어오고, 시스루 속의 미묘한 떨림도 들추어낼 수 있다. 이처럼 시인의 심연에는 항시 시가 고여 빛나고 있다.

고목이 된 느티나무 아래 긴 의자가 놓여 있고, 그곳에 청춘남녀가 앉아 있다. 그들은 꼭 껴안고 오랫동안 숨 막힐 듯 입술을 나누고 있다. 영화의 한 장면이다. 뜨거운 열기가 화면 바깥으로 분출하고 있다. 시인의 눈에 그것은 오백년 입맞춤이었다. 느티나무 오백년 그늘이 만들어낸 사랑의 역사였던 것이다. 이처럼 오로라의 말은 곧 시가 되었다. 그가 무심코 건넨 한 마디 말조차도 꽃향기가 실리면서 내밀한 언어의 직조 끝에 한 편의 표제시로 탄생한 것이다. 또한 그것은 영원과의 오랜 입맞춤의 시작始作이자 시작時作이며, 시작詩作이었다. 설렘 속을 유영하는 시인의 영혼은 자유 그 자체이기에 시인은 꿈꾸기를 그치지 않는다. "설렘은 곧 영원의 다른 얼굴"이라는 이정환 시인의 열한 번째 시조집 『오백년 입맞춤』에는 설렘과 더불어 그리움이 있다. 열정은 말할 것도 없다. 아름다움 앞에서 사족을 못 쓰고 미쳐버리는 시인, 미치지 않기 위해 부지런히 시를 쓰는 시인을 만날 수 있다. 또한 마로니에 새순이 어찌 설렘 없이 돋아났을지, 사월에 지천인 벚꽃은 하늘에서 설렘 없이 어찌 땅으로 내려왔을지 궁금해 한다. 현재 정음시조연구소 대표로 시조사랑을 실천하는 그의 가편들과 시인의 산문을 일독하기를 강권한다.

– 출판사평에서

이 정 환 1954년 경북 군위 출생. 1981년 《중앙일보》 신춘문예로 등단. 시집 『아침 반감』 『서서 천년을 흐를지라도』 『불의 흔적』 『물소리를 꺾어 그대에게 바치다』 『금빛 잉어』 『가구가 운다, 나무가 운다』 『원에 관하여』 『오백년 입맞춤』 등이 있음.

최영효

컵밥 3000 오디세이아

최영효 시조집

작가

노량진 입구에 컵밥집이 도열해 있다
여기는 마이너 천국, 메이저는 떠나고
쌩기초 초짜들끼리 리그 없이 겨루는 일합

3분에 해치우는 게 컵밥의 특명이다
빠르고 싸고 맛있는 레시피를 개발하라
청춘은 맨발이라서 서서 먹는 간편 특식

합격해도 삼천 원 떨어져도 삼천 원
10급에서 11급 된 삼수생도 삼천 원
컵밥에 공짜는 없다 절망은 팔지 않는다

유산으로 대 받을 보증수표 한 장 없이
부도날 신분을 감출 약속어음도 아예 없다
정실과 밀실은 잊어 낙하산 청탁도 버려

껍데기 발라내고 무릎뼈로 걸어오라
흙수저 탓하지 말고 금수저 욕하지 않는
청춘엔 깨지고 터질 실패의 자유가 있다

—「컵밥 3000 오디세이아」 전문

그는 태산 준령의 시인이다

—최영효 『컵밥 3000 오디세이아』(작가)

최영효 시인, 그는 태산준령을 떠올리게 한다.

그의 시조는 소재가 다채롭고 작품의 스펙트럼이 넓으며 유장하기 때문이다. 좀해서 흐트러지지 않는다. 읽는 이로 하여금 긴장의 고삐를 놓치지 않고 좇아오도록 만든다. 생생하고 친근감 있는 입말과 더불어 군데군데 번뜩이는 재치 있는 비유도 한몫을 하고 있다.

이따금 등장하는 도발적인 시어들이 작품의 진폭을 확장하고 있는 것도 빼놓을 수 없는 특장이다. 서사구조를 도입한 작품들에는 리얼리티가 있고, 구체적인 삶의 현장이 잘 녹아 있다.

타고난 시조이야기꾼이다.

또한 그의 시편들은 거개가 온몸으로 부딪쳐 쓴 것이다. 관찰자가 아니다. 모든 시조 속의 화자는 주체로서 적극적으로 움직이고 발언한다. 단아한 서정성 일변도의 시조문단에서 보기 드문 스케일과 미학적 담론을 시조 속에 자유자재로 녹일 수 있기에 그는, 태산준령의 시인이다.

—이정환(시인)

최 영 효 1946년 경남 함안 출생. 2000년 《경남신문》 신춘문예 당선. 시집 『무시로 저문 날에는 슬픔에도 기대어 서라』 『노다지라예』 등이 있음. 김만중 문학상 시(시조) 은상, 천강문학상 시조 은상 수상.

홍일표

문학동네시인선 103 **홍일표** 시집 나는 노래를 가지러 왔다

나는 노래를 가지러 왔다 빈 그릇에 담긴 것은 다 식은 아침이거나 곰팡이 핀 제삿밥이었다 콜로세움의 노인도 피렌체의 돌계단 아래 핀 히아신스도 다시 보지 못할 것이다 다시 보지 못한다는 것은 유적의 차가운 발등에 남은 손자국만큼 허허로운 일이나 한 번의 키스는 신화로 남아 몇 개의 문장으로 태어났다 불꽃의 서사는 오래가지 않아서 가파른 언덕을 삼킨 저녁의 등이 불룩하게 솟아올랐다 나는 노래를 가지러 왔다 지상의 꽃들은 숨쉬지 않았다 눈길을 주고받는 사이 골목은 저물고 나는 입 밖의 모든 입을 봉인하였다 여섯시는 자라지 않고 서쪽은 발굴되지 않았다 삽 끝에 부딪는 햇살들이 비명처럼 날카로워졌다 흙과 돌 틈에서 뼈 같은 울음이 비어져나왔다 오래전 죽은 악기였다 음악을 놓친 울림통 안에서 검은 밤이 쏟아져나왔다 나는 다만 노래를 가지러 왔다.

—「악기」 전문

리듬감 있는 노래로 뼈마디에 가락을 새기려는 사람

— 홍일표 『나는 노래를 가지러 왔다』(문학동네)

이 시집은 첫 문장뿐만이 아니라 한 편의 시 안에서 시 제목을 향해 화살처럼 날아가는 문장과 문장이 고도의 집중력을 자랑한다. 쓰고자 하고 완성하고자 하는 시를 염두한 뒤로는 오로지 그 방향으로만 집중할 뿐, 좀처럼 시선을 딴 데로 돌리거나 체머리 흔들지 않는다는 얘기다. 그 전속력의 질주로 우리가 배울 수 있는 건 아마도 시 특유의 직관일 것이다. 사유 작용을 거치지 않고 대상을 보는 즉시 파악해버리는 능력, 그 직관. 무수히 널려 있는 직관의 무덤 가운데 "가끔 공룡알을 줍는다/ 부화하지 않은/ 바삭 깨어지면서 태어나는 허공"(「공갈빵」)과 같은 귀여움은 또한 덤이고 말이다. 홍일표 시인의 뛰어난 직관은 섬세한 감수성을 그 기본 베이스로 하는데 이때에도 시인만의 어떤 착함, 어떤 차분함, 어떤 품격이 그 시라는 농토를 기름지게 한다. 시인은 시가 그리 대단한 것도 그리 고결한 것도 그리 신적인 것도 아닌, 그저 '노래'임을 타고나면서부터 아는 사람 같다. 시를 강요나 강조의 목적으로도, 시를 장식과 폼의 목적으로도, 시를 말씀과 전례로도 생각하지 아니하고 오로지 리듬감 있는 노래로 우리 뼈마디에 가락을 새기려는 사람 같다. 시집을 읽어나가면서 왜 줄기차게 그의 문장들에 밑줄을 긋는가 하면 내 마음을 둥둥 치는 북채를 만난 듯해서일 거다. "인간은 인간을 넘어서지 않는다고 시간은 사기라고 혁명은 한 번도 없었다고 잠시 눈감고 지나간 불우한 연애였다고 왜 밤은 아직도 자살하지 않느냐고 죽은 이가 부르다 만 노래는 바위 속에서 깜박이는 촛불이라고 몇 번을 더 죽어야 죽지 않겠느냐고 몇 번을 더 살아야 눈보라 밖에 서 있는 당신의 아침을 아침이라고 부를 수 있느냐고"(「고리」) 하지 않는가.

– 출판사평에서

홍 일 표 1958년 충남 출생. 1988년 《심상》 신인상, 1992년 《경향신문》 신춘문예로 등단했다. 시집으로 『살바도르 달리풍의 낮달』『매혹의 지도』『밀서』, 평설집 『홀림의 풍경들』이 있음. 지리산문학상 수상.

2019년 한국 시의 미학

참석자

– **유성호**(문학평론가, 한양대 교수, 사회)
– **홍용희**(문학평론가, 경희사이버대 교수)
– **나민애**(문학평론가, 서울대 교수)
– **전철희**(문학평론가, 《쿨투라》 편집위원)

일시 : 2019년 1월 3일(목)
장소 : 도서출판 작가 사무실
사진 및 정리 : 쿨투라 편집부

유성호 : 안녕하십니까? 오늘 좌담은 지난 한 해 동안 펼쳐졌던 우리 시의 동향을 개괄적으로 점검하고, 또 많은 이들의 사랑을 받았던 시집들을 큰 틀에서 검토함으로써, 현재 우리 시의 지향이랄까 좌표랄까 하는 것을 성찰하는 자리로 마련되었습니다. 우리 평단에서 가장 활발하고 역량 있는 현장 비평을 해오신 세 분의 선생님을 이 자리에 모시게 되어 기쁘게 생각합니다. 최근 한국 시단은 내외에서 활력과 모순이 함께 점증했고, 문학장 전체의 지각변동이 숱하게 일어난 것 같습니다. 지난해에는 중견에서 중진을 포괄한 층위에서 활달한 자기 성취가 있었다고 생각됩니다. '오늘의 시'에 선정된 시와 시집의 목록을 살펴보면, 중진과 중견과 신진 시인들이 고르게 분포되어 있다는 것을 알 수 있습니다. 하나씩 이야기해보지요. 먼저 홍용희 선생님께서 오봉옥과 홍일표의 시집부터 이야기 해주시겠습니까?

유성호

중진 시인들의 시세계

홍용희 : 오봉옥 시집 『섯!』의 정조는 따스하고 유순합니다. 젊은 오봉옥이 『붉은 산 검은 피』에서 보여주었던 작열하던 한낮의 태양이 해거름의 노을처럼 온유한 빛을 띠고 있습니다. "더는 혈관 속 피처럼 뜨겁지 않고/더는 칼날처럼 날카롭지"(「나에게 묻는다」) 않다는 것이지요. 어째서 그럴까요? 이에 대해 오봉옥은 세상은 거대 혁명보다 "사소하거나 거룩한"(「사소하거나 거룩한」) 일상사에 대한 인식의 눈뜸이 중요하다고 말하고 있습니다. 그는 이번 시집 전반에 걸쳐 지

극히 사소한 것이 지극히 거룩한 것이란 걸 평명한 필체로 꾹꾹 눌러쓰고 있습니다. 매연에 지는 꽃을 보며 가슴 아파하고 "늙은 엄마 이부자리 살피듯 땅을 다독거리"는 "정신지체아 최성일"씨에게서 "성자"(「성자」)의 모습을 발견하고 "종이컵을 들고 커피를 홀짝거리며 걷던 노인이/길거리에 게워놓은 토사물을 보더니 주저 없이 앉아 "쓸어 모"(「아름답다는 거」)으던 모습에서 미국 최고의 아름다움을 보고 있습니다. 그가 이처럼 작고 사소한 일상사에서 발견하는 거룩하고 신성한 얼굴의 가치는 무엇일까요? 그것은 "함께 살자"는 화두로 수렴됩니다. "분노의 주먹이 날아가서 하는 말/통한의 눈물이 세상을 적시며 하는 말/(…)/간절한 촛불이 흔들리며 하는 말/함께 죽자고 외치기 전에/마지막으로 해보는 이 말"이 바로 "함께 살자!"라는 것입니다. 함께 더불어 사는 관계, 양식, 문화가 궁극적인 삶의 지향인 것이지요. 물론 그의 이러한 "함께 살자"의 대상은 인간만이 아니라 "나비"와 같은 미물을 포함한 자연물까지 포괄됩니다. 그래서 "자동차들이 매연을 뿜으며 허공을 가른다/저 허공이 나비들에게 준 신의 선물인 줄도 모르고"(「인간들」)와 같은 천진스런 동화적 상상을 노래하기도 합니다. 그렇다면 "함께 살자"는 생활 철학의 내면화는 어떻게 가능할까요? 이에 대해 오봉옥은 "어부"는 바다를 닮아가고 "산 사나이는" 산을 닮아가고 "농부는 땅을 닮아가다 땅이" 되어가는 삶을 충실히 살고 실천할 때 가능하다고 주장하고 있습니다. 오봉옥의 시적 삶의 바탕에는 사람은 땅을 닮고 땅은 하늘을 닮고 하늘은 도를 닮고 도는 자연을 닮는다는 노자가 설파한 "인법지 지법천 천법도 도법자연人法地 地法天 天法道 道法自然"의 원리가 기조를 이

루고 있는 것으로 보입니다.

홍일표의 『나는 노래를 가지러 왔다』는 제목부터 예사롭지 않습니다. '노래란 부르는 것'이라는 명제가 슬쩍 비껴가고 있습니다. 그의 이번 시집의 창작 방법론은 대체로 이러한 양상을 드러내고 있습니다. 이를테면 「경주」란 시편의 한 대목을 볼까요. "무덤이 보이는 방에서 여자는 자기 그림자를 바라봅니다/아무 소리도 들리지 않아서 몸속을 빠져나간 그림자는 알은체를 하지 않습니다//방안을 들여다보던 햇살들/자주 목이 말라 까맣게 타버린 쌀알 같은/악몽이 되겠습니다 익숙하게" 주술 관계의 문법적 구조와 관습적 어법이 이완, 균열, 해체되고 있습니다. 그리고 "무덤", "그림자", "악몽", "햇살" 등이 인과 관계의 긴밀성과 무관하게 등장합니다. 이것은 기본적으로 시적 주체가 통합되어 있지 않기 때문입니다. 통합된 주체가 분열된 주체로 대체되고 있습니다. 이것은 주체란 의식/무의식, 현실/초현실, 이성/욕망으로 분열되어 있다는 인식을 전제로 합니다. 또한 언어란 본래 대상을 반영하는 투명 매체가 아니라 자의적인 왜곡과 굴절의 속성을 지닌다고 불신하고 있는 것이지요. 따라서 처음부터 단일하고도 고정된 의미를 향한 집중성은 부정되고 있는 것입니다. 이러한 창작 방법론은 롤랑 바르트가 전언한 의미가 아니라 의미화 과정의 전달이 문학 텍스트라는 주장과 상응하는 것으로 보입니다. 그래서 그의 시편은 명징성과는 거리가 있지만 그러나 다양한 상대적 의미, 가치, 성격 등의 역동을 추적하고 전달하는 효과는 배가시키고 있습니다. 물론 홍일표의 이번 시집의 특이성은 이러한 창작 방법론에만 있는 것은 아닙니다. 그의 시편들은 독자들을 알 수 없는 미로로 끌고 들어가는 흡입력을 지닙니다. 그것은 "소유주도 등기부도 없는

홍일표

오래된 공터"(「드라이아이스」)를 마련하여 독자들의 상상을 동참시켜나가는 열린 힘으로 해석됩니다.

유성호 : 다음으로 나희덕, 박라연 시집으로 가보겠습니다.

전철희 : 나희덕의 『파일명 서정시』에는 '2017 작가가 선정한 오늘의 시' 수상작이었던 「종이감옥」이 수록되어 있습니다. 그 작품에서 시인은 "종이감옥"에 유폐된 시의 언어들에 대해 이야기했습니다. 한데 종이 속에 갇힌 활자들의 처지에 관한 모사는, 또한 흡사 골방에 틀어박혀 고독하게 시를 써야만 하는 시인의 모습 자체를 비유하는 것처럼 느껴지기도 했습니다. 이 작품은 나희덕 시인이 시가 무엇인지에 대해 고독한 사유를 이어왔다는 사실을 능히 증명해낼 만한 힘을 지니고 있었습니다. 한편 '감옥'이라는 단어도 눈여겨볼 만한데, 시가 세상에서 유폐되어 있는 것이란 인식은 새삼스러운 것이 못되지만, 시인이 이런 단어를 비유로 차용한 것은 갑갑한 세상에 대한 인식이 어느 정도 반영되어 있을 것이라고 추정할 만했습니다. 실제로 이 시인은 지난 정권 시기에 사회 비판적인 작품을 자주 발표하고 종종은 직접적으로 현안에 대한 발언을 하기도 했습니다. 그 시기에 쓰인 작품들을 수록하고 있는 이번 시집은, 따라서 한 명의 시인-시민이 언어를 통해 감옥과 같은 세상에 응전한 양태를 보여주는 책이라고 해도 좋을 것입니다. 물론 나희덕의 작품은 이전부터 외따로운 정서를 기조로 하면서도 어디론가 나아가려는 에너지를 간직하고 있었으며 사회에서 소외된 사람들을 향한 따뜻한 연민과 공감을 품고 있었습니다. 『파일명 서정시』 또한 그런 문제의식을 계승하고 있는 것은 사실

나희덕

이나, 이번 시집만큼 “서정시를 쓰기 힘든 시대”에 대한 비판적 사유가 첨예하게 가시화된 경우는 없었던 것 같습니다.

전철희

특히 세월호에서 희생된 아이들의 이야기를 담은 몇몇 수록 작품들은, 미증유의 비극을 어떻게 언어로 현현할 수 있을지에 관한 시인의 고민을 보여준다는 점에서 한 시대의 증언이 될 만한 것이거니와, 자신만의 서정적 시세계를 펼쳐오고 사회적 문제에도 관심을 가진 시인이 다다를 수 있는 미학의 극점을 보여주는 한 사례로서도 주목할 만한 것이라 생각합니다.

나민애

나민애 : 저는 박라연 시집을 읽으면서 자연스럽게 지난 시집들을 떠올리게 되었습니다. 특히 『헤어진 이름이 태양을 낳았다』는 2009년도에 출간된 시집 『빛의 사서함』과 연결되어 있다는 생각이 듭니다. 『빛의 사서함』은 ‘화단’과 ‘호미’와 ‘식물’로 요약되는 시집이었죠. 그리고 이후에 나온 『공중 속의 내 정원』이라든가 『노랑나비로 번지는 오후』 역시 화단의 노정에 관계된다는 점에서 박라연 시인은 지속적으로 자기 세계를 진척시키는 과정 중에 있다고 말할 수 있습니다. 저는 박라연 시집을 일종의 ‘손’으로 봅니다. 최소 10년 이상 박라연 시인은 호미를 잡았고, 식물을 심었고, 키웠고, 과정과 결과물을 확인했을 것입니다. 그래서 문학가이면서도 시인의 손은 곱지만은 않을 거라고 봅니다. 시인은 체험된 직접성과 언어, 상상력과 희망이 한데 섞여 있는 화단을 시집을 통해 구현하는 거죠. 그러니까 박라연 시집이란, 정원사

의 손과 문학가의 손이 결합된 형태라고 볼 수 있습니다. 그리고 시인의 손 위에 무엇을 담아 오느냐에 따라 시집의 색채가 달라집니다. 이전에 박라연 시인의 작품 세계를 '꽃의 시학' 혹은 '식물의 시학'이라고 규정한 적이 있습니다. 이때 시학의 지향성은 스스로와 타자를 위로하고 살리는 데 초점이 맞춰져 있었습니다. 시인이 키운 생명의 꽃들이란 강한 인간인 내가 약한 너를 살려주겠다는 시혜적 보살핌이 아니라, 약한 인간인 내가 더 약한 너를 통해 오히려 구원받는다는 위무의 발견이라고 할 수 있었죠. 식물 키우기의 과정에서 탄생한 시 세계는 이제 그 결과물을 다루는 상태가 되지 않았나 싶습니다. 즉 이번 시집은 화단의 결과물을 이야기하고 있다는 말입니다. 시인이 화단에서 받은 씨앗은 어떻게 생겼을까요. 이번 시집의 변화는 나무 이름, 꽃 이름, 식물의 생태가 식물계에서 멀어지고 대신 인간계에 가까워진다는 점입니다. "오늘의 수선화가 진 옆자리에는/튤립 가족이/그날의 목단이 진 옆에는 양귀비 가족이//풀벌레와 새소리가 진 그 옆자리엔/이웃집의 아들딸이 피어나고 꽃다운 세상의/남매들이 피어나고 꽃다운 세상의/남매들이 꿈꾸는/세상의 밥상엔 공평 의리 사랑이란/의미들이//구체적으로 차려져서 즐겁게 설거지하는/진풍경이 피어나고/정현, 정민이네처럼 잘 풀리는 부러운 집이 또 있을까"(「옆구리」) 이런 작품에서 볼 수 있듯이 식물의 이야기는 정작 식물을 말하기 위함이 아닙니다. 대신 사람의 삶이나 감정을 표현하는 은유로 사용되고 있습니다. 이처럼 시인의 세계에서 식물의 초록 내음은 옅어지고 그 자리를 인생의 파동들이 채우고 있습니다. 저는 박라연 시인이 나무 이름, 나비 날갯짓, 꽃이파리 등과 같이 아름답고 소리 없으며 정적인 대상을 통해 고통의 내면을 미학적으로 풀이

하는 시들을 고평해왔습니다. 그리고 그 세계가 더 추상화되어 내면으로 파고들거나, 아니면 더 구체화되어 외부로 나오든가 변화가 언젠가 시작될 것이라고 생각해오기도 했습니다. 이번 시집은 변화를 분명하게 드러내고 있다는 점에서 주목됩니다.

중견 시인들의 시세계

유성호 : 이제는 한국 시의 중간 세대라고 할 수 있는 시인들로 가볼까요? 이분들의 성취는 한국 시의 자산을 예감케 한다는 점에서 퍽 중요하지 않을까 생각해봅니다. 먼저 홍용희 선생님께서 이영광과 이대흠의 시집에 대해 의견을 말씀해주시지요.

홍용희 : 이영광의 『끝없는 사람』은 의표를 찌르는 역설의 어법으로 "사실"(「사실은」)과 "궁리"(「궁리」)의 한 경지를 깨워내고 있습니다. 그는 "가장 확실한 살아 있다는 느낌이 사실은,/살아 있지 않다는 느낌이라는" 역설적 인식을 바탕으로 "희망은 좀체 입 밖에 내질 않는데도/아픈 시간들은 그걸 온통 썩게 하고/썩은 시간들은 다시 그걸 낱낱이 아프게" 하는 과정들을 내밀하게 "궁리"해 내고 있습니다. 역설적 인식은 이처럼 반대일치의 긴장과 상호 모순의 통합을 기반으로 하지요. 그래서 "반은 잡상인이고/반은 유령이고/반은 외계인"인 나를 동시적으로 입체적으로 규명하여 조망할 수 있습니다. "절반인 죽음이 살아있기라도 한 듯/검은 동공을 열고/화면 속 죽음들을 본다/그곳으로 눈물이 난다"고 전언하는 대목은 이영광만의 깊고 탁월한 시적 직시이고 묘사라고 할 것입니다. 그

이영광

의 이러한 역설적 혜안은 시집 도처에 은은하게 눈부신 아포리즘을 펼쳐 놓습니다. "속된 게 싫은 속이요만"(「단 두 줄」), "쥐 살림에, 희망 밖에 무엇이 있었겠는가"(「덫」), "가서, 무인도의 밤 무인도의 감옥을,/그 망망대해를 수혈 받고 싶다"(「무인도」), "병원 밖으로 나가본다/병원이다"(「병원」), "마음의 몸을 찌르려고 몰려온/웃는 몸들을 보았다"(「마음 2」) 등등이지요. 특히 그의 이러한 아포리즘의 눈부심은 깊은 울림을 지니고 있습니다. 그것은 표면적인 도금에서 나오는 빛이 아니라 "그늘과 사귀"(『그늘과 사귀다』)면서 "아픈 천국"(『아픈 천국』)을 살아본 체험적 삶의 지층에서 나오는 빛이기 때문입니다. 하늘이 어두울수록 은하가 더욱 눈부신 이치라고나 할까요.

이대흠의 『당신은 북천에서 온 사람』은 남도의 삶의 풍속과 정서를 생생하게 펼쳐 보여주고 있습니다. 요즘 만나기 어려운 고유한 지역적 장소성이 시적 중심음을 이루고 있는 것이지요. 그가 "당신은 북천에서 온 사람/이마에서 북천의 맑은 물이 출렁거린다"(「당신은 북천에서 온 사람」)라고 노래하듯, 장소성은 대체로 그 지역 사람의 원형질을 이루지요. 이대흠의 이번 시집의 "이마"에는 그가 낙향하여 터를 잡고 사는 장흥을 중심으로 한 생활 풍속이 출렁거리고 있습니다. 천관산과 탐진강 줄기를 따라 군락을 이루고 살아가는 사람들의 하염없이 질박한 풍경이 새삼 탈속적인 청정함으로 다가오고 있습니다. 장흥의 장소 미학은 우선 그 생활 언어에서부터 배어나옵니다. "장흥에서 자웅으로 가는 데는/십년이 족히 걸리고/자웅에서 또 자앙, 장으로 가는 데는/다시 몇십년이 걸"(「장흥」)린다고 합니다. 지역 방언의 미묘한 층위는 곧 지역의 재래적인 삶의 내력과 굴곡의

화석이라는 것이지요. 마치 우리 나라의 다기한 색상의 표현처럼 언어의 다채로운 무늬 결이 삶의 다양한 표정들이라는 것이지요. 특히 남도의 생활 언어는 기묘한 멋과 맛을 감칠맛 나게 담고 있습니다. "널평네 양반 돼지 한 마리 팔고 오는 길에" 외상값 등의 돈을 지불하는 말들에 잠시 귀 기울여볼까요. "줘불고/줘아려불고/개러불고/갚어불고/지와불고/죽에불고/사불고/볼라불고/일끼레불고/짤라불고/지갑 열어불고/풀어불고/조마니돈 털어불고/까묵어불고". 어떤 시적 조어보다 더욱 기발하고 오묘합니다. 이대흠은 누구도 갖지 못한 풍요롭고 싱싱한 시적 언어의 잔칫상을 늘 마주하고 있다고 할 수 있겠습니다. 물론 이러한 어휘들은 기본적으로 남도의 비바람에 "푹 삭어사써"(「칠량에서 만난 옹구쟁이」) 나온 빛깔이고 향기입니다. 이렇게 보면 이대흠은 남도 생활 언어의 인간문화재라고 할 수 있겠군요. 그렇다면 지역의 장소 미학이 중앙의 비인격적 삶의 제도와 양식을 충격하고 변화시킬 수 있는 방법론은 무엇일까? 이대흠의 다음 시집은 이러한 문제에도 좀 더 골몰해야 하지 않을까 생각해봅니다.

유성호 : 다음으로 나민애 선생님께서는 이수명과 문태준, 곽효환의 시세계를 개관해주시지요.

나민애 : 이수명 시집의 제목은 『물류창고』입니다. 일반적으로 가장 중요한 시 구절이나 제목을 시집 제목으로 삼습니다. 그런데 이번 시집에는 「물류창고」라는 제목의 시가 10편씩이나 들어 있어요. 같은 제목일 경우 뒤에 번호를 붙여서 구분하는데 이수명의 시집에는 번호도

이수명

없이 그저 '물류창고'라는 같은 제목을 달았습니다. 그만큼 '물류창고'가 지닌 의미가 중요하다는 뜻이겠죠. '물류창고'라는 단어 외에도 "서기 2020년"(「물류창고」)이라는 말이 이수명 시집을 요약하는 표현이라고 생각합니다. '2020년'이라는 단어는 과거의 SF소설들이 배경으로 삼던 혹은 묘사하던 시기입니다. 즉 불가사의하거나, 지극히 발달했거나, 혹은 지독히 디스토피아적으로 여겨지던 미지의 시대를 상징하는 단어입니다. SF에서나 묘사되던 2020년이 드디어 1년 앞으로 다가왔습니다. 이제 현실이 되었다는 말입니다. 복잡하고 예측이 불가능하며 혼란스러운 시기에 우리는 어떤 존재인 것일까. 이런 문제의식이 이수명 시인의 '물류창고'라는 단어에 담겨 있고요, 이 시집의 중심을 이루고 있습니다. "우리는 물류창고에서 만났지/창고에서 일하는 사람처럼 차려입고/느리고 섞이지 않는 말들을 하느라/호흡을 다 써버렸지//물건들은 널리 알려졌지/판매는 끊임없이 증가했지"(「물류창고」) 지금 읽어본 이 구절은 시집에 실린 첫 번째 「물류창고」의 첫 연입니다. 상징적이지 않습니까. 지금 물신주의 시대의 주인공은 물건과 판매가 되었다는 사실은 누구든 부정할 수 없습니다. 상품이 주인이 되고 인간이 소비되는 세상을 한 마디로 표현하자면 '물류창고' 아닐까요. 근대의 세계는 어쩌면 '물류창고' 이상도 이하도 아니라는 비판적 의식을 시인은 우리들에게 전달하고자 합니다. 거기서 우리들은 이미 '호흡을 다 써버렸다'는 표현 역시 이 시인의 의도가 무엇인지를 암시하고 있습니다. 잔잔하지만 기실 상당히 날카로운 문명 비판, 존재 성찰의 기조는 다른 시들에서도 찾아볼 수 있습니다. "오늘을 벌써 잃어서/아무 일도 없어요/계속 오늘을 잃는다.//공이 허공을 어지럽게 날아다니는 밤//위험해요"(「밤이 날마다 찾아와」) 이 작품을 봐도 현대사회를 살아가는 인간 존재의 상실감, 허무함, 불안감을 확인하게 됩니다. 이렇듯 시인은 상실의 시대를 엄혹하게 파악함에 더해, 그 안에 들어 있는 우리들 존재를 애상적으로 파악합니다. 이를테면 「나의 중얼거리는 사람」에 "나비는 이런 날을 처음 보았어요/비를 뚫고 갈 수 없어요/비는 길고 계속 길어서 모든 비가/이어져 있다."는 구절이 나옵니다. 그리고 주저앉는 나비가 나오죠. 개별 인간의 힘으로는 절대 이길 수 없는 현실의 시련이 '비'로 그려져 있어요. 물류창고가 되어가는 근대를, 물류창고의 비품보다 못해지는 인간 존재를 우리가 역행할 수 있을까요. 이런 질문을 던지면서 이 시인은 작품을 이어갑니다. 이번 시집은 분명 문명 비판을 겸한 존재 성찰의 세계입니다. 문명 비판이나 존재 성찰이라는 주제는 근대문학 초엽부터 있어왔던 경향이지만 문명이 지속적으로 변화하고, 나아가 우리의 현재 위치라든가 우리가 바라보는 우리의 상 역시 지속적으로 변화한다는 점에서 항상 새로울 수 있습니다. 이 시집으로 2018년 김춘수시문학상을 수상할 수 있었던 이유도 바로 이러한 새로움과 천착 때문일 것입니다. 이수명 시집이 나올 때마다 느끼는 점인데 항상 예상과는 다른 성격의 작품집을 탄생시켜요. 예전에 시인의 작품을 읽다가 접어놓았던 시가 있었는데 그 시 제목이 「이유가 무엇입니까」(『현대시학』, 2011. 4)입니다. 이 작품이야말로 이수명 시인의 원동력 혹은 근원적인 방식을 말하고 있는 건 아닐까요. 이수명 시인은 늘 이유가 무엇인지를 고민합니다. 익숙한 것이든, 낯선 것이든 이렇게 된 이유는 무엇일까, 왜 이렇게 된 것일까. 바로 이러한 고민들이 매번 새로운 작품집을 낳는 것 같습니다.

문태준 시집 『내가 사모하는 일에 무슨 끝이 있나요』는 전통서정시의 계승이며 발전을 보여줍니다. 전통서정시의 계열이 오래된 것은 맞지만 마치 무형문화재처럼 그 흐름이 점점 약화되고 있는 것

또한 사실입니다. 이런 상황에서 문태준 시인의 역할이랄까 위치는 상당히 중요합니다. 이번 시집에서 놀라운 점은 서정시의 세계를 이어가고 있으면서도 구태의연하지 않다는 점, 한결같이 문태준의 방식을 고수하면서도 지루하지 않다는 점입니다. 요즘 젊은 세대의 표현을 빌자면 워낙 '믿고 보는 문태준'이라고나 할까요. 게다가 그의 새 작품집이 대중에게서도 좋은 반향을 얻고 있다는 점이야말로 평론을 하는 입장에서 감사한 일입니다. 이 시집을 읽으려고 들고 다닐 때마다 주변 사람들에게 뺏기곤 해서 몇 번을 새로 샀는지 모릅니다. 현대적이며 전통적인 서정시의 세계가 여전히 힘이 있다는 것을 문태준 시인은 여러 번 확인시켜줍니다. 이번 시집을 가장 압축하는 한 편을 고르라면 「외할머니의 시 외는 소리」를 들겠습니다. 이 시여야 하는 이유는, 자연스럽게 발로되는 서정의 근원을 가장 정확하게 보여주기 때문입니다. 이 작품은 "내 어릴 적 어느 날 외할머니의 시 외는 소리를 들었습니다"로 시작됩니다. 시는 외는 것, 즉 노래로서의 음률에 뿌리를 두고 있습니다. 그것은 시인이 처음 깨달은 것이 아니고 이전부터 있던 사실입니다. 나아가 시인은 "외할머니는 가슴속에서 맑고 푸르게 차오른 천수를 떠내셨습니다"라고 말합니다. 시인은 아버지나 삼촌이 아니고 외할머니를 선택했습니다. '외할머니'보다 더 전통서정시에 가까울 수 있는 화자가 어디 있을까요. 시인의 이 선택은 오래된, 비켜난, 인고의 여성 화자에게서 우러날 수 있는 마음이야말로 서정의 본질이라는 이야기로 들립니다. 저는 문태준의 가장 좋은 시들을 적어놨던 목록에 「외할머니의 시 외는 소리」를 집어넣어야 한다고 생각합니다. 왜냐하면 이 시는 시인이 왜 시를 선택했으며 하필 정서를 풀어내는 오래된 세계에 침윤해야 했는 지를 말해주기 때문입니다. 일종의 '운명론'이라고나 할까요. 시인은 외할머니의 시 외는 소리가 울렁거리며 하늘로 가는 것을 보았다고 했습니다. 이 기억이 바로 서정의 시작이었겠지요. 문태준을 좋아하는 사람들에게 이 시를 꼭 추천하고 싶습니다. 이수명 시인이 1994년에 등단했고 문태준 시인도 1994년에 등단했습니다. 이수명 시인의 시집과 문태준 시인의 시집을 나란히 놓고 보자니, 같은 연도에 등단한 두 시인의 서로 다른 세계가 다른 듯 닮음을 알겠습니다. 이수명 시인은 세계의 불투명성에 주목하고, 문태준 시인은 세계의 불투명성에도 불구하고 남아 있는 투명성에 주목합니다. 그러면서도 '있다'로 끝나는 서술어를 애호하는 점이 비슷하죠. '있다'는 서술어는 그저 있을 수밖에 없는, 그저 있음을 바라보는 선선함을 느끼게 해줍니다. 게다가 두 시인은 간결한 문장, 간결한 표현, 그 끝에 쓸쓸함이 묻어 있다는 점이 비슷합니다. 물론 '쓸쓸'의 종류는 서로 다르지만 말입니다.

곽효환 시인의 시쓰기는 고고학적 탐사와 방법론적으로 유사하다고 생각됩니다. 그가 북방에 관심을 두었던 것도 바로 이러한 경향이 원인이었을 것이라 생각됩니다. 『너는』는 '북방'이라는 특수성에 한정하지 않고 그의 고고학적 관심사를 전방위적으로 펼치는 시집입니다. 역대 시인 중에서 곽효환 시인의 선조를 찾으라면 김동환과 백석이 되지 않을까요. 그들이 그랬던 것처럼 곽효환 시인은 민족적 공동체라는 주제를 시적으로 다루고자 합니다. 그런데 지금은 이 민족 공동체가 해체되어 상당히 희미해진 상태이기 때문에 접근하기 위해서는 고고학의 시적 방법론을 채택하는 것이 현명해 보입니다. 이런 작업을 지속적으로 수행하고 있는 곽효환 시인 역시 그가 담당하고 있는 경

곽효환

향이 개성적이라는 면에서 의의가 있습니다. 시집 『너는』의 풍경이 이전보다 섬세하고 다정하며 밝아졌지만 시인의 주제에는 변동이 없습니다. 이 시집은 결코 애정시나 연애시의 범주에 속하지 않습니다. 『너는』은 민족적 공동체의 고고학적 탐사로 요약될 수 있습니다. 문제는 이 시집에서 택한 '너는'이 대체 누구냐는 점입니다. 사실 '누구냐'는 인칭보다는 '무엇이냐'는 존재의 질문이 맞는 질문이라고 생각됩니다. 그리고 제가 시집에서 찾은 바에 의하면, '너는' '돌'과 '마당'에 해당합니다. "돌의 뼈를 본 적이 있다 (…) 돌의 뼈대에는 단단한 시간의 문양이 있다/수많은 바람이 실어 오고 실어 간/풍경과 삶이 물결치는 세월의 무늬가 있다"(「돌의 뼈」) 이 시는 시집 가장 앞에 수록되어 있습니다. 시인이 찾는 것이 무엇인지를 단박에 알아보게 하죠. 그는 아주 오랜 시간이 누적된 삶의 흔적을 찾고 있습니다. 그것이 보이지 않지만 있다고 믿고 증명하거나 확인하기 위한 노력을 기울입니다. '돌의 뼈'를 찾고 그것이 지닌 의미를 읽어내려는 자세는 제가 앞서 말한 고고학적 특징과 연결됩니다. 여기서 말하는 '돌'이란 응당 사전적 의미의 돌이 아닐 텐데요, 시인에게서 돌이라는 것은 일종의 원형, 핵심, 응축이라고 볼 수 있습니다. 오랜 시간 형성된 돌을 다른 말로 풀이하면 '마당'이라고도 할 수 있습니다. "나는 그들의 처음이자 전부이고 마지막이었다/내가 그들이고 그들이 곧 나였다//먼 아버지 적부터 연년이 이어져 내려오다/이제 놀이도 잔치도 예식도 사람도 사라지고/존재마저 희미해진 내 이름은……"(「마당 약전」) 이 시에서는 마당이 화자입니다. 마당은 사람들이 모이고 죽고 살고 사라지고 태어나는 모든 민족 역사의 터전 그 자체입니다. 문제는 마당은 지금도 존재하지만 사람들이 점점 잊어가고 있다는 점입니다. 시인의 탐색은 여기서 시작됩니다. 우리의 오랜 과거가 쌓인 응축은 어디에 있는가. 에너지, 열정, 민족, 혼, 정서, 문화… 무엇이 되었든 마당의 지층은 분명 있다는 확신에서 이 시인의 시 쓰기는 의미를 얻습니다. 그래서인지 곽효환 시인의 이번 시집은 의문문으로 끝나거나 탐색의 어미로 끝나는 경우가 많습니다. "그 꿈은 다 어디로 숨었을까"(「그 많던 귀신은 다 어디로 갔을까」)라든가 "다 어디로 갔을까"(「첫」) 이처럼 대체 어디에 있을까를 묻고 찾는 경우가 많습니다. 시인에게 누대의 공동체가 지닌 의미를 탐색하는 일이 얼마나 중요했는지 암시하는 특성이라고 볼 수 있습니다.

유성호 : 전철희 선생께서 김언 시집에 대해 말씀해주시지요.

전철희 : 김언은 요 몇 년 사이에 가장 왕성한 창작력을 보이고 있는 시인 중 한 명입니다. 그는 2018년에만 두 권의 시집을 출간했습니다. 1월에 상재한 『한 문장』과 3월에 펴낸 『너의 알다가도 모를 마음』이 그것입니다. 두 달 터울의 책인 만큼 속에 담긴 문제의식이나 스타일에서 큰 차이가 보이지는 않습니다. 그리고 김언은 다작을 할 때에도 꾸준히 양작을 써내는 시인으로 알려져 왔는데, 그런 세간의 평을 증명이라도 하려는 듯 두 책에 수록된 작품들은 전부 고른 수준을 유지하고 있습니다. 두 권의 책 중 『한 문장』은 시집의 제목부터가 언어에 대한 시인의 메타적 관심을 보여줍니다. 김언의 이전 작품들이 그랬듯, 이번 시집의 수록작들 또한 일상의 경험을 가볍게 털어놓는 것처럼 느껴지는 덤덤한 서술 속에 언어와 세상의 관계의 통찰을 내포하고 있습니다. 물론 김언의 시는 종종 '난해'하다는 말을 들었던 것이 사실이고, 그래서 각각의 시편에 수록된 언어들이 정확히

김 언

무엇을 의미하는지는 명확하지 않을 때도 많습니다. 그러나 이 '난해함'은 어느 정도 의도된 것입니다. 이 시인은 현실의 어떤 물상을 지칭하는 데 그치지 않고 이도 저도 아닌 상태의 무엇인가가 부유하는 상태 자체를 표상하려고 합니다. 그의 언어에서 고정된 의미를 추출하기가 쉽지 않아진 것도 그 때문입니다. 그럼에도 불구하고 그의 시는 명징한 문제의식을 독자의 감각에 육박하게 만들 만한 에너지를 가지고 있습니다. 또한 그 속의 단단하게 얽혀 있는 문장들은 독자의 사유를 여러 방향으로 뻗어나가게 이끌 촉매 역할을 할 만합니다. 이번 시집은 김언이 담대한 사유를 건조하고도 견고하고도 언어로 형상하는 재능이 뛰어난 시인임을 다시금 확인시켜주는 노작입니다.

신진 시인들의 시세계

유성호 : 이번에는 가장 젊은 세대라고 할 수 있는 시인들로 가보겠습니다.

나민애 : 박준의 『우리가 함께 장마를 볼 수도 있겠습니다』에는 슬픔으로 절망을 치유하는 힘이 있습니다. 지극히 '사람'적인, '사람'을 위한, '사람'의 시집이기 때문이죠. '사람'이라는 말은 '삶'이라는 말과 발음이 닮아 있지만 대체 그 닮은 '삶'을 어떻게 살아야 할지 막막한 '사람'이 대다수죠. '사람'이 '삶'으로 이어지지 않고 '삶'이 사람으로 풀어지지 않습니다. 이 막막함에 박준 시인은 깊이 공감합니다. 아니 스스로가 그 일부임을 보여줍니다. 곤란한 삶의 지경에 대해 고민하고, 괴

박 준

로워하고, 버텨내는 과정을 몹시 서정적인 언어와 참신한 표현을 통해 보여주면서 개개인의 마음을 파고듭니다. 이 시인의 장점이랄까 특징은 디테일하지 않다는 것입니다. 지나친 설명, 상황에 대한 묘사가 없습니다. 이 디테일의 부재는 역설적으로 상황에 대한 디테일을 읽는 이로 하여금 선택하게끔 합니다. 각자의 독자가 시의 장면을 자신의 것으로 향유할 수 있는 여지를 남겨줍니다. 이를테면 시인은 "머지않아 날은/어두워질 것입니다"를 말하면서 이 날이 어느 날인지, 어디에 있는지, 상황에 대해서는 함구합니다. 이로써 '어두워질 날들'은 모든 이들의 '어두워질 날들'로 확산될 수 있습니다. '이곳'과 '여기'를 말하면서 이곳이 충남 예산인지, 경기도 안성인지를 말해주지 않습니다. 해인사인지 불국사인지를 말해주지 않습니다. 대신 그는 정서, 상황, 분위기를 전달해주면서 감정의 공감대를 극대화합니다. 이 공감의 극대화에 대해 예시를 들자면 「목소리」는 어떠한가요. "너도 그만 일어나서 한술 떠/밥을 먹어야 약도 먹지/병도 오래면 정들어서 안 떠난다//일어나 일어나요" 아파본 사람이 할 수 있고, 아픈 사람이 듣고 싶은 가장 기본적이고 중요한 말이 여기 들어 있습니다. 박준 시인은 '위로'의 시인이라는 말이 있는데 그의 위로는 일상적이고 현실적이라는 점에서 많은 독자의 공감대를 얻고 있습니다. 보다 시사적으로 보았을 때 박준의 이번 시집은 특화된 '슬픔시' 계열의 현대적 변천이라고 할 수 있습니다. 우리 시단에서 '슬픔'이라는 주제의식은 몹시 강하고 오래된 뿌리 중의 하나입니다. 나아가 '슬픔' 중에서도 '병든 슬픔'이란 시적 계열이 있어 우리 문학의 가장 절망적인 축을 담당하고 있습니다. '병든 슬픔'을 누가 발명하고 이어갔는지 생각한다면 이 계열이 소수이면서도 얼마나 강렬했는지를 알 수 있습니다. 근대시를 넘어 현대시에 와서 기형도, 이

성복, 최승자 등의 이름은 아직도 깊이 각인되어 있습니다. 박준 시인의 이번 시집은 '병든 슬픔'의 계열에 놓여 있으면서도 그 어조가 극히 절제되고 서정적이라는 면에서 새로워 보입니다. 그에게는 탄식이라든가 토로가 없습니다. 슬픔은 이미 일상이 되어 버렸기 때문에 평범 곳곳에 깃들어 있는 것이지 굳이 탄식이랄까 토로로 강조할 필요가 없는 것입니다. 박준 시집에서 '병든 슬픔'은 일상의 깊은 슬픔, 혹은 넓은 슬픔으로 확대되어갑니다. 이 슬픔의 주제 선택과 변용은 슬픔이 만연해진 우리의 현실 상황을 정확하게 짚어냈기 때문에 더 문제적이라고 할 수 있습니다.

전철희 : 강성은의 『Lo-fi』는 독특한 상상력이 돋보이는 시집입니다. 로우파이Lo-fi는 저음질을 의미합니다. 단순히 나쁜 음향이 아니라 고풍스러운 느낌이 있는, 가령 LP의 음원 같은 것을 가리킬 때 쓰는 말입니다. 분명 그런 것을 듣다 보면 요즘의 하이파이Hi-fi 음악과는 다른 감성을 느낄 수가 있지요. 어쩌면 시인은 이 제목을 통해, 오늘날의 주류적 감각과 차별화된 보여주겠단 포부를 표상한 것일지도 모르겠다는 생각이 듭니다. 이번 시집에서는 몽환적이면서도 독특한 표현을 덤덤하게 풀어내는 시인의 재능이 여실하게 드러납니다. 한데 강성은의 시가 환상적이거나 몽환적이라고 할 수 있다면 그 까닭은 '비현실적'인 이야기를 하기 때문은 아닙니다. 차라리 그것은 세상의 균열을 그 자체로 보여주기 위한 방책에 가깝습니다. 흡사 카프카의 소설이 '비현실적'인 이야기를 통해 현실의 어떤 측면을 보여주듯 말입니다. 이전까지 강성은의 시집에서 돋보인 것이 독창적인 상상력과 담대한 서술 등이었다면, 『Lo-fi』는 그런 미덕을 계승하고

강성은

있으면서 작가의 세계관까지도 더욱 명확하게 드러낸 시집이라고 평할 만합니다.

『타이피스트』는 김이강의 두 번째 시집입니다. 이 시집에서 가장 두드러지는 것 중 하나는 순간적으로 현현하는 빛의 이미지입니다. 그 빛은 우리가 살아가면서 종종 마주하는 아련한 추억이나 특정한 순간에 갑자기 엄습하는 독특한 감각적 체험 같은 것을 표상하는 장치가 되기도 합니다. 김이강의 시는 그런 이미지들을 통해 금방 휘발될 수 있는 경험과 감각을 포착하고 가시화시킵니다. 그래서 그것은 종종 환상적이고 약간은 초현실적인 느낌을 풍기기도 합니다. 아마 '현실적'인 경험을 모사하는 것만으로는 그런 미증유의 감각을 재현할 수 없다는 인식 때문이겠지요. 한데 또 하나 눈여겨볼 것은 이 시인의 어조 자체는 매우 부드럽고 친절한 느낌을 준다는 사실입니다. 돌이켜보면 그녀의 첫 시집 제목은 『당신 집에서 잘 수 있나요?』였습니다. 친밀한 친구나 애인을 청자로 상정한 것 같은 구어체 문장이지요. 이 제목이 암시하듯 김이강의 시는 흡사 누군가에게 건네는 다정한 전언의 형식을 지니고 있습니다. 그래서 그녀의 작품은 내밀한 감각이나 농도 깊은 사유를 표상할 때에도 독자에게 친절히 말을 하는 것과 같은 느낌을 줍니다. 그런 언술적 형식은 이번 시집에서도 계승되어 있습니다. 요컨대 『타이피스트』는 다정다감한 어투로 현실에 틈입한 감각을 가시화시키려는 시인의 노력이 이채로운 빛을 발하는 시집입니다.

김이강

기혁의 『소피아 로렌의 시간』은 이지적인 시집입니다. '소피아 로렌'이라는, 한 시대를 풍미했으나 지금의 젊은 독자들에게 다소 멀게 느껴지는 배우의 이름을 시집의 제목으로 상기시킨다는 사실부터가

이 점을 얼마간 방증합니다. 한데 표제작을 보면 시인은 결코 소피아 로렌이라는 실존 인물에 대해 이야기하지 않습니다. 이 작품의 주인공은 소피아 로렌이 태어난 해에 발견되었다는 미라입니다. 사실 보통 사람들은 그런 미라의 존재에 대해 별로 관심도 없지요. 기혁은 그런 것들에 대한 정보를 우리에게 전달하는 한편, 이국적/타자적인 존재에 대한 사유를 개진하는 시인입니다. 이 작품에서 미라를 무대 위로 올린 것 또한 눈여겨볼 만한 지점이라 생각합니다. 미라는 죽었지만 썩지 않고 남아있는 존재입니다. 무기물의 상태로 실재하는 '사물'이라고 해도 좋겠습니다. 이 작품이 암시하듯 기혁은, 세상을 정지해 있는 "무시간성의 사물"(함돈균)로 인식합니다. 그리고 새로울 것 없는 권태로운 세상에서 느끼는 상념들을 건조하지만 감각적인 언어로 응축시켜 놓습니다. 생기 없는 세상–사물에 대한 통찰을 이만큼 집요하게 이어온 시인은 많지 않습니다. 『소피아 로렌의 시간』에 주목해야 하는 까닭입니다.

정형 미학의 세계

유성호 : 이번에는 제가 정형시 쪽의 성취를 이야기해보겠습니다. 먼저 이우걸 시집 『모자』는 1973년 등단 이후 왕성한 작품 활동을 계속해온 중진 시인의 빼어난 성취입니다. 이우걸 시인은 시조에 일관되게 현대성을 부여하면서 더욱 견고하게 짙어진 인간 이해의 서정을 보여주고 있습니다. 삶의 한복판에서 참된 자아를 만나 새로운 생을 개진해가는 안간힘과 넉넉함이 공존하는 시집입니다. 시인은

'모자'를 통해 '내면'을 읽으려 하고, 그 '모자'가 "방패/장식/휘장/가면"일 수 있겠지만 수많은 필요에 의해 태어나는 자아처럼 우리 삶의 중층성을 나타내준다고 노래합니다. 시집 『모자』는 그런 점에서 시인 스스로의 실존적 고백이자 노경으로 접어드는 세월에 대한 미학적 화첩이기도 합니다. 김경복 교수는 이 시집에 대해 "죽음의 문제로 고뇌하는 노년의 자아에서 자기 구원을 얻기 위해 의지적 지향으로 추구했던 시적 건축물 끝"에 선 시인을 발견하고 있습니다. 그러니 이번 시집은 이우걸 시인에게는 "한 시인의 울음이 사는 집"이며 "불면의 밤이 두고 간/아, 뜨거운 문장들"(「시집」)인 셈입니다. 두루 아시다시피, 이우걸 시인은 현대시조의 변화 요청에 대한 진지한 고뇌를 보여온 대표적 중진이지요. 그의 시편들은 대체로 사회성과 서정성의 복합적 균형 속에서 태어나고 있으며, 우리 사회에 집단적으로 잠복한 정신적 병리에 대하여 비판적으로 사유하고 있습니다. 이를 두고 시인 고유의 비극적 세계인식이라고 부를 수도 있겠지만, 그 저류에는 비극과 절망을 넘어 균형과 희망 쪽으로 생의 형식을 재구再構하려는 욕망이 흐르고 있습니다. 그를 비관주의자로 부를 수 없는 까닭도 이러한 생의 형식의 갱신에 대한 그의 역동적 힘 때문일 것입니다. 오직 시조 외길만을 걸어온 시인이 전통적 정서의 재확인보다는 모더니티와의 적극적 교섭을 통해 시조 미학을 확충하려는 노력과 성찰을 보여주는 것은, 현대시조의 양식적 견지와 확충을 동시에 이루려는 그의 일관된 시학적 관심에서 나오는 것입니다.

김영재의 『녹피경전』은 1974년 등단한 중진 시인의 중중하고도 심미적인 성취라고 할 수 있겠습니다. 그는 삶과 죽음, 빛과 어둠, 생성과 소멸, 진화와 퇴화 같은 것들이 선명한 분절적 개념이 아니라

한 몸으로 묶여 모든 사물과 운동을 규율하는 양면적 속성으로 존재함을 노래합니다. 잘 씌어진 시조를 통한 이러한 상상적 경험은, 감각의 쇄신과 인지의 충격을 동시에 선사하면서, 우리로 하여금 새로운 세계에 발을 들여놓게끔 해줍니다. 이러한 그의 시편들은 감각의 쇄신과 인지의 충격을 우리에게 보여주는 뜻깊은 실례일 것입니다. 왜냐하면 그의 시 안에서 우리는 삶이라는 것이 단선적 질서에 의해 전개되는 것이 아니라 대립적이기까지 한 많은 것들이 복합적으로 통합된 채 흘러가는 것이고, 시가 자기 충실성을 벗어나 타자들의 오랜 시간에까지 관심을 확장해가는 것임을 경험하게 되기 때문입니다. 이번 시집에서 그가 보여주고 있는 변화는 상처를 포괄하면서 더욱 타자를 찾아가는 넉넉한 마음에서 찾아집니다. 특별히 사막을 여행하면서 느낀 실존적 장면을 담아낸 「녹피 경전」은 야생의 사슴 가죽을 벗겨 "인간을 인도하는 신의 말씀"을 기록한 '녹피경전'을 통해 "영생으로 뭇 생을" 구원하는 거룩한 타자성을 발견하고 있습니다. 그런가 하면 「사막 열흘」에서는 "버리고 온다는 게 더 가지고 돌아왔다"면서 '지움'과 '남김'이라는 시인으로서의 메타적 자의식을 선연하게 보여줍니다. 이렇게 김영재 시인이 견지하고 있는 사랑의 힘은 사막과도 같은 우주적 귀속처에 대한 그리움으로 자연스럽게 나타나고, 그 그리움 안에는 오래 경험해온 시간이 온축되어 있고 '시'가 결국에는 그러한 그리움과 온축의 현장임을 알려줍니다. 시인은 의식 저편에 깃든 시간의 형상을 상상적으로 복원하여 현재형을 유추하는데, 그러한 유추는 과거 어느 시간을 향한 매혹으로 나타났다가 그 시간으로 하여금 현재의 삶을 반추하게끔 하는 과정을 거칩니다.

김영재

이정환 시집 『오백년 입맞춤』은 등단 40년을 넘긴 중진 시인이, 정형 양식이 견지하고 있는 일정한 율격적 구속에도 불구하고, 매우 활달하고 섬세한 서정을 담은 주목할 만한 성과입니다. 사물의 구체성에서 정서의 결을 유추하는 방법론과 그것을 사랑과 구원의 주제로 연결하는 심미적 시정신을 그는 일관되게 보여왔습니다. 이번 시집은 이러한 방법론과 정신이 더욱 주제의 다양성을 가지고 완성된 사례로서, 시인은 사물과 내면이 교감하고 상응하는 세계를 담으면서 그 과정을 삶의 그것으로 전이시키는 상상력을 아름답고 치열하게 보여줍니다. 무엇보다 그 성찰의 진정성이 시집의 품과 격을 한결 높이고 있습니다. 이번 시집은 이 모든 것을 커다란 스케일 안에서 이루기보다는 구체적 사물과 풍경 속에서 성취하고 있다는 점이 이채롭습니다. 또한 자연 사물이나 구체적 풍경에 즉卽하여 삶의 비의秘義에 다다름으로써 구체성과 보편성을 아울러 획득하고자 하는 욕망을 일관되게 보여줍니다. 그래서 우리는 이정환 시조 미학을 통해 자연 사물과 인간 존재의 아름다움을 담은 세계를 한껏 느낄 수 있는 것입니다. 특별히 이번 시집에서 그는 "천편천률을 위해 사생결단으로 썼다. 천치처럼 부지런히 썼다. 글을 쓰지 않으면 곧 죽을 듯이, 쓰는 일이 마냥 생명의 연장이라는 듯이"(「시인의 말」)라면서, 우리 전통 정신의 위의威儀를 적극적으로 담아내고 있습니다. 삶의 어두움을 넘어 영원성 구현에 힘쓴 작품들이 많고, 나아가 희망을 역설적으로 노래한 작품들이 많습니다. 또한 책 뒤에 실린 시인의 산문은 이정환 시인의 메타적 시의식을 살피는 데 도움을 주고 있습니다. "느티나무/오백년오/백년그늘/아래뜨거/운입맞춤/이시간을/멈추게했/네시간을/멈추게했/네오백년/입맞춤이"(「오백년 입맞춤」) 같은 형태적, 정서적 실험

이정환

도 수행하면서 시인은 느티나무 오백년 그늘이 만들어낸 사랑의 역사를 노래합니다. 심미적이고 활달한 이정환 시인의 청년 정신이 아름답게 채색되어 있는 결실입니다.

박명숙 시인의 『그늘의 문장』은 그녀 특유의 간결하고도 선명한 시적 이미지들이 기억의 고요와 조우하면서 이루어내는 심미적 화폭입니다. 박명숙 특유의 예술적 성취가 참으로 아름답습니다. 그동안 박명숙 시조는 사물의 외관을 감각적으로 묘사하면서 거기에 자신의 내면과 기억을 결속시키는 방법에 의해 일관되게 씌어져 왔습니다. 또한 가장 근원적인 경험적 시간을 재구성하는 방법에 의해 구축되기도 했습니다. 이번 시집은 사물의 안팎에 흔적으로 새겨져 있는 그러한 기억들을 거슬러 올라감으로써 간결하고도 속 깊은 서정을 구현하고 있습니다. 정형 양식이 가질 법한 내용과 형식 사이의 긴장과 상충을 충분히 감안하면서도, 개성적인 양식적 완결성을 구축해가고 있는 것입니다. 표제작 「그늘의 문장」에서 시인은 느티나무의 그늘에서 "첫 소식"을 받습니다. "거미발처럼 몰려들어 일렁이는 푸른 획들"은 "실팍한 그늘의 문장"이 되어 계절의 변화와 함께 우리 모두 우주적 상호연관성으로 묶인 존재자들임을 알려줍니다. 「가을 공양」에서는 감나무잎 물든 "햇살의 꽁무니"와 "그늘의 정수리"를 통해 절반은 세상에 내주고 절반은 스스로 충만한 우주적 균형을 노래합니다. 또한 「방문」에서는 "가난한 김 선생"과 "더 가난한" 자신을 통해 타자에 대한 배려와 공존의 지혜를 노래합니다. 박명숙 시인은 자아와 타자, 기억과 현실, 사물과 사람살이 등에 대한 기막힌 균형 감각으로 우리 삶을 구성하고 있는 요인들이 저마다 다양한 서정의 질료가 될 수 있음을 보여줍니다. 존재론적 기원을 상상하면서도 일상 속에서 만나는 생성적

원형으로서의 이질적 이미지들을 포괄하는 탄력을 무궁하게 보여줍니다. 그 점에서 첨예한 현대시조지요. 계속되는 이미지의 연결을 열어놓고서도 각각의 이미지들이 분리되지 않도록 준비해둔 장치가 강한 결속력을 발휘하고 있습니다.

최영효

최영효의 『컵밥 3000 오디세이아』는 우리 시조시단에서 가장 활력 있는 작품들을 써온 시인의 미학적 극점이 구현된 결실입니다. 그는 우리가 살아가는 현대의 속성을 탐색하는 방법론으로 내면, 풍경, 언어에 모두 집중적인 탐구열을 불어넣어 자신의 시조로 하여금 동시대의 첨예한 산물이 되게끔 하고 있습니다. 그런데 시인이 작품 안에 구성해내는 풍경이나 사물은 감각적 충실성에 의해 사실적으로 재현되기보다는, 오히려 그 배후에 숨겨진 시간을 은유할 때가 훨씬 더 많습니다. 말하자면 시인의 시선에 포착되는 풍경이나 사물은 공간적 실재로서 존재하는 것이 아니라 시간성에 의해 온전하게 매개되어 있다는 것입니다. 또한 시인은 언어의 고고학을 통해 우리가 떠나온 시원의 형상을 복원하려 합니다. "경상도 갈강비/전라도 싸락비/강원도 가스랑비/제주도 줌뱅이비/충청도 이시랭이/함경도 싸그랑비"(「가랑비동동」)처럼 말입니다. 어쩌면 이러한 노력은 훼손되기 이전의 순수 원형을 담으려는 것이기도 합니다. 시인은 이번 시집에서 이러한 형상들을 구체적 사물 속에서 발견하거나, 그것을 회복 불가능하게 만드는 세상에 대해 비판의 촉수를 던져갑니다. 따라서 이는 여전히 자연 사물로부터 느끼는 불가항력의 흡인력인 동시에, 삶의 가장 중요한 기율에 대한 본능적 경사를 의미하기도 하는 것이기도 합니다. 그는 삶의 주변부에서 살아가는 이들의 소소하지만 아름답고 고통스러운 이야기를 시조의 뼈대로 삼으면서, 그 안에 자신만의 따뜻한 연대 감각을 얹어 매우 이채로운 세계를 보여줍니다. 우리 시대에 대응하여 새로운 대안적 실천을 상상적으로 마련하면서, 생명을 억압하는 현실에 대해 비판적 목소리를 발하는 최영효 시조는 그 점에서 음미할 만한 것이 아닐 수 없습니다.

유계영 시편의 세계

유성호: 마지막으로 이번에 '2012 작가가 선정한 오늘의 시'에서 동료 문인들로부터 가장 많은 지지를 받은 유계영 시편에 대한 이야기로 한번 옮겨볼까요?

나민애 : 유계영 시인의 「미래는 공처럼」에 대해서 말씀드리겠습니다. 젊은 시인의 발랄한 표현과 시적 상상력으로 채워져 있는 작품입니다. 활발하게 활동하고 있는 신인 세대의 활약을 보는 것 같아 반갑습니다. 그가 선택한 "경쾌하고 즐거운" 표현처럼 작품은 일면 쾌활해 보이지만 이 시는 상당히 비판적인 인식을 함축하고 있죠. 유계영 시인의 다른 작품들을 보아도 묘사라든가 색채 표현이 회화 공부를 한 시인이 아닐까 싶을 정도로 독특한데 「미래는 공처럼」 역시 비가시적인 속성을 가시적으로 포착하는 능력이 탁월하다고 생각됩니다.

홍용희 : 유계영의 「미래는 공처럼」은 제목이 매우 경쾌합니다. "공"의 탄성과 역동성을 미래의 시간성으로 표현하고 있습니다. 공은 중력의 규정으로부터 비교적 자유롭습니다. 따라서 "미래는 공처럼"이란 현재로부터 자유롭게 탄성 진동하는 비현재적인 미래로 읽힙니다. 미래

가 살아 있는 현재의 지평 너머에서 불확정적으로 활동한다는 것이지요. 현재적 지평은 음악 감상에 빗대어 말하면 파지와 예지를 포함한 지각 작용의 영역을 말합니다. '이제 막 지나간 음을 아직도 현전적으로 가지고 있는' 파지와 '다가올 어떤 음을 현전하는 것으로 의식하는' 예지의 영역이 현재의 지평인 것이지요. 이렇게 보면, 현전역의 넓이는 멜로디를 듣는 자의 주의의 강도와 감각적 촉수의 민감도에 따라 달라집니다. 미래는 망각한 현재라고도 합니다. 후설은 현재에 관여하는 생동성으로서의 자아상, 진지한 태도가 미래를 살아있는 현재의 지평권과 연동시킬 수 있는 계기성이라고 전언했던 까닭도 이러한 문맥에서 이해됩니다. "경쾌하고 즐거운 자, 그가 가장 위험한 사람이다"는 명제는 현재적 삶에 대한 태도의 가벼움을 비판하는 것으로 해석됩니다. "경쾌하고 즐거운 자"는 "울고 있는 사람의 어깨를 두세 번 치고/황급히 떠나는" 자이고 "벗어둔 재킷"도 수시로 버려둔 채 떠나는 경박함을 노출하는 자입니다. 따라서 "그는 미래를 공처럼 굴"리는 자입니다. 현재의 가벼움이 미래의 현재와의 비연속적 불확정성을 배가시키는 것이지요. "경쾌하고 즐거운 자"와 대비되는 대상으로 "메추라기"가 놓입니다. "메추라기"는 "미래를 쥐여 주면 반드시 미래로 던져버"립니다. "메추라기"에게 "미래"는 없습니다. 오직 '지금, 여기'의 현재가 있을 뿐입니다. 이것은 미래란 살아있는 현재적 지평의 확장태라는 인식으로 해석됩니다. "얼음에서 태어나 불구덩이 속으로/주룩주룩 걸어가는" "죽음의 무더움을 함께 나누"는 진정성을 지닌 참된 절대자가 현재 속에서 미래를 온전히 선취할 수 있다는 것입니다. 삶의 태도와 내밀한 관계성의 문제를 철학적 시간성에 실어 흥미롭게 노래한 시편입니다.

전철희 : 유계영의 「미래는 공처럼」은 해독이 용이한 작품이 아닙니다. 구절들을 떼어놓고 보면 각각이 무엇을 의미한다고 확정적으로 말하기도 쉽지 않습니다. 그럼에도 불구하고 시의 전체 흐름을 보면 시인이 시간-미래에 대해 이야기하고 있다는 점, 그리고 그것을 표현하기 위해 공의 비유를 끌어왔다는 점만큼은 확실해 보입니다. 그런 맥락을 감안하면 이 작품은 공처럼 운동하는 시간을 "경쾌하고 즐거운" 어조로 모사한 것이라고 할 수 있겠습니다. 그런데 이 작품은 또한 미래를 이야기하기 위해 공의 이미지를 가져온 것이 아니라 반대로 공을 이야기하기 위해 미래의 이미지를 차용한 것처럼 느껴지기도 합니다. 너무도 생생하게 시각적 풍경을 창조해내고 있기 때문입니다. 사실 이 정도로 잘 형상화된 작품을 읽을 때면 공과 미래 중 어떤 것이 원관념이고 어떤 것이 보조관념인지를 따질 필요는 없을 것도 같습니다. 어느 쪽의 독법을 차용하든 「미래는 공처럼」은 매력적인 작품입니다. 저는 몇 다발의 언어-이미지를 통해 독자의 상상력과 감각을 개안시키는 것이 시의 본도 중 하나라고 생각합니다. 「미래는 공처럼」은 그런 시의 본령에 충실하면서도 세련된 감수성까지도 겸비했다는 점에서, '오늘의 시'로 꼽기에 부족함이 없는 작품이라고 생각합니다.

유성호 : 감사합니다. 세 분 정말 수고하셨습니다

쓸모없는 것의 쓸모가 시의 쓸모

때_ 2019년 1월 3일

곳_ 서교동 퀜치커피

인터뷰어_ 전철희(문학평론가, 본지 편집위원)

사진_ 김창율(스포츠코리아 대표)

유계영은 2018년에 두 번째 시집 『이제는 순수를 말할 수 있을 것 같다』를 출간했다. 해설이나 발문 대신 저자의 산문을 얹어놓은 책이었다. 그 산문의 제목은 「공장 지나도 공장」이었는데 시작 부분은 다음과 같다. “나는 공장에서 비롯된다. 이렇게 말해보는 것이다. 과장은 좀 보탰을지언정 비약이나 은유는 아니다. 나는 공장의 여자로부터 시작한다. 이렇게 말하는 것은 과장도 생략도 포기한다는 뜻이다.” 이 대목 정도에서 독자들은 의문을 가졌을 것이다. 이것은 시인의 솔직한 마음을 담은 에세이인가, 그렇다면 자신이 공장에서 비롯되고 공장의 여자로부터 시작된다는 말은 도대체 무슨 뜻인가. 아니면 이 글은 그저 시인이 창작한 허구(fiction)일 뿐인가, 그렇다면 시인은 왜 이런 글을 시집의 말미에 삽입한 것일까… 유감스럽게도 시인은 글이 끝날 때까지 이런 질문에 명확히 답할 생각이 없는 것처럼 보인다. 대신 그녀는 자신이 어떤 마음으로 이 글을 썼는지를 앞의 인용문에서부터 명시해두었다. “과장도 생략도 포기”하고 “비약이나 은유는 아닌” 언어를 묵묵히 옮겨내겠다는 것.

어쩌면 이 진술은 유계영의 시가 지닌 핵심적인 문제의식을 요약하는 것일지도 모르겠다. 그녀의 시에서 가장 돋보이는 것은 다양한 비유들이다. 그 비유는 세련되고 화려한 언어적 수사가 아니며 관념이나 감정 따위를 모사하기 위한 도구도 아니다. 그런데도 그것은 독자로 하여금 무엇인가를 생각해보게 만든다.

《2019 오늘의 시》로 선정된 「미래는 공처럼」의 경우에도 그렇다. 이 작품이 무슨 ‘의미’를 가졌느냐고 묻는다면 대답하기가 쉽지 않다. 그리고 이 작품에서 “경쾌하고 즐거운 자”는 누구인지를, 그가 왜 “가장 위험한 사람”인지를, 왜 중간에 갑자기 “그림자놀이”와 “메추라기”에 대한 이야기가 나오는지를 따지는 것은 사실 별로 의미

도 없다. 유계영의 시에서는 '의미'보다 '이미지'가 중요하기 때문이다. 그러나 그녀가 시를 통해 '무의미'한 이미지들을 창조하는 일에만 골몰하지는 않는 것 같다. 그것은 항상 어떤 감각을 자아낸다. 가령 「미래는 공처럼」의 전반부에서는 황급히 떠나는 사람과 미래를 던져버리는 메추라기의 모습이 부각된다. 혹자는 이 부분에서 속절없이 흘러가버리는 시간을 형상화해놓은 것 같다는 느낌을 받을 수도 있을 것이다. 반면 작품의 후반부는 "경쾌하고 즐거운 자"가 "미래를 공처럼" 굴리는 광경을, 그리고 ('공'으로 비유된) 미래가 "잘 마른 날개를 펼치고 날아"가는 모습을 생동감 있게 묘사한다. 이 대목은 독자로 하여금 미래를 경쾌하게 받아들이는 낙천적 태도가 강하게 느껴진다. 이렇듯 유계영은 시에서 '마술적'이거나 '환상적'이라 할 수 있는 이미지들을 정제해놓을 뿐인데, 그 이미지는 독자에게 실재하는 감각을 부여하고 현실의 어떤 측면에 대해 사유하게끔 유도한다. 그녀는 어떻게 이런 시를 쓰는 걸까. 시인을 직접 만나서 답

을 구해보았다.

전철희(이하 전) : 유계영 시인님의 시 「미래는 공처럼」이 〈2019 작가가 선정한 오늘의 시〉에 최고작으로 뽑혔습니다. 소감을 부탁드립니다.

유계영(이하 유) : 별안간 이런 일도 있네요. 재야의 고수로 남겠다는 꿈이 좌절된 것도 아니고, 제가 뭐라도 된 것은 아니지만, 기왕 칭찬받은 김에 힘닿는 대로 열심히 써서 더 많은 칭찬도 받아보고 싶습니다.

사실 잘 모르겠어요. 할 말이 떠오르지 않아서 아무런 말이나 하고 있습니다. 동료 작가들의 힘을 빌어 받게 된 상이라는 점이 매우 특별합니다. 제 시를 손꼽아준 분들이 누구인지 잘 모르지만 사랑한다는 말을 전하고 싶습니다. 저는 아직도 시 쓰는 게 정말 좋고 재미있습니다. 좋아서 하는 일을 계속 할 뿐인데 칭찬을 받으니 시가 더 좋아지는 것 같습니다. 고맙습니다.

전 : 어린 시절에는 어떻게 자랐는지 궁금합니다.

유 : 저는 비밀이 많은 어린이었습니다. 또 제 비밀을 이야기하기 좋아하는 어린이었습니다. 어린 시절의 비밀은 대개 창피하거나 나쁜 짓인 경우가 많아서 말하기 어려웠지만, 말하기 어려운 것을 애써 말하는 즐거움을 일찌감치 눈치 채고 있던 것인지도 모릅니다.

친해지고 싶은 사람이 생기면 비밀부터 털어놓으며 친구를 사귀었습니다. 비밀이라는 밀실 안에서 돈독해지는 기분이 좋았습니다. 친구가 제 비밀을 다른 사람에게 발설하는 것도 좋았습니다. 문이 없는 줄 알았던 밀실에 몰랐던 문이 생기고, 그 문으로 다른 사람들이

초대되는 것이 좋았습니다. 엄청 외로웠던 모양이에요. 지금도 크게 다르진 않은 것 같습니다.

전 : 저는 시인님의 작품에서 독창적인 상상력을 보면서 놀란 적이 많은데요. 이야기를 듣다 보니 그 상상력이 유년기부터 골똘하게 내면을 응시하면서 만들어진 것일지도 모르겠다는 생각이 듭니다.

특별히 좋아하거나 영향 받은 시인이 있는지요?

유 : 제 마음은 가볍고 얕아서, 좋아하는 시인이 무척 많았습니다. 학창시절에 80년대부터 2000년대까지 시대 순으로 시집을 쭉 따라 읽었었는데요. 손에 잡았던 시집과는 다 한 번씩 사랑에 빠졌었다 말해도 과언이 아닙니다. 금방 사랑에 빠지는 대신 금방 벗어나는 편이기는 합니다. 너무 모범적인 답변이라 민망할 정도인데, 읽었던 모든 시집이 자양이 되었다고 생각합니다. 그중에도 특별히 오랫동안 사로잡혀있는 시인은 프랑스 시인 앙리 미쇼Henri Michaux와 외젠 기유빅Eugene Guillevic입니다. 다른 시인들의 시는 제 영혼을 통통하게 살찌웠다면, 이 두 시인의 시는 제게 도대체 영혼이라는 것이 있기나 했는지 되묻게 만들었습니다. 책 읽기를 통해 충격에 휩싸이는 것은 드문 행운이기 때문에 사랑이 오래 가는 모양입니다.

전 : 이전의 글들에서 앙리 미쇼와 외젠 기유빅을 인용하셨던 것을 봤던 기억이 나네요. 둘 다 환각(환상)에 가까운 것을 담대하게 표현하는 시인들인데, 그런 측면에 끌리고 '사랑'하게 된 것은 아닐까 생각해 봤습니다. 시인님의 시에서도 (초)현실적인 이미지들이 자주 나오니까요.

《2019 오늘의 시》 수상작 「미래는 공처럼」의 경우만 봐도 그렇습니다. 저는 이 작품에서 미래(시간)를 공(사물)에 빗대 표현한 것이 이색적으로 느껴졌습니다. 물론 시인님은 이전에 발표하신 작품에서도 공과 시간의 이미지를 부각시키거나 죽음-시간에 대한 사유를 드러낸 적이 있지요. 그럼에도 「미래는 공처럼」은 손에 잡힐 것 같은 시각적 풍경을 제시한다는 점이 돋보이는 것 같습니다. 이 작품을 창작한 동기가 궁금합니다.

유 : 너무 객쩍은 이야기이긴 합니다만. 제가 개와 함께 사는데 이 녀석이 가장 좋아하는 장난감 중에 빨간 고무공이 있습니다. 제가 멀리 던지면 개가 쫓아가서 물어다주고 그러면 저는 다시 던집니다. 또 쫓아가서 물어옵니다. 반복하는 겁니다. 그런데 한동안 이 빨간 고무공이 보이질 않았습니다. 완전히 잊고 있었어요. 그런데 하루는 개가 가구와 가구 사이를 들여다보면서 낑낑 우는 겁니다. 개가 귀신을 본다더니 정말인가 싶었는데 그런 것은 아니었고요. 그 틈에 빨간 고무공이 있었습니다. 시간도 마찬가지라고 생각했습니다. 어느 날 고개를 휙 돌려보면 마른 나뭇가지에 꽃이 피어있어요. 우리가 시선을 주기 바로 직전 순간에 개화한 것이 아닐까 싶을 만큼 갑자기. 사실은 조금씩 변하고 조금씩 움트고 있었던 것일 텐데 말입니다. 우리가 시간의 흐름을 잊으면 시간도 고여 있는 것 같습니다. 쫓아가려고 하면 자꾸 달아나고요. 자꾸 멀리 던져지기만 하던 빨간 고무공이 가구 틈에 처박혀 완전 잊혀진 것처럼요.

전 : 개 장난감과 관련된 시라고는 생각지 못했는데요.(웃음) 저는 이 작품이 '미래'에 대해 무엇인가를 말하고자 하는 작품이라고 읽을 여지도 있다고 생각했거든요. 그러면 덧붙여 물어보겠습니다. 시인님의 작품에서는 비유(이미지)와 메시지가 유기적으로 조합된 경우

가 많은데요, 시를 쓸 때 메시지(내용)와 비유(언어) 중 어느 쪽을 중시하시는지 알고 싶습니다.

유 : 제가 시 쓰기를 오랫동안 재미있어 할 수 있었던 것은 내용에 대한 강박이 없기 때문입니다. 저는 메시지의 세계가 힘듭니다. 독자에게 알려주고자 하는 것도 없고 그런 욕망도 좀처럼 생기지 않아요. 혼자서 많은 말을 해야 하는 상황이면 엄청난 무력감이 몰려오기도 합니다. 일상의 말하기는 대부분 메시지 위주로 흘러가기 때문에 시에서 만큼은 메시지에서 해방되고 싶은 것일지도 모릅니다. 쓸모없는 것의 쓸모가 시의 쓸모라면, 시의 언어도 마찬가지라고 생각합니다. 메시지 없는 것의 메시지가 제가 쓰고 싶은 시의 메시지랄까요. 따라서 시에서는 느낌·감각을 따르는 편입니다. 알레고리가 대신 말하게 하는 것이 아니라, 알레고리 그 자체가 총체적인 느낌으로 출렁거리는 것이 좋습니다. 만약 시에서 어떤 메시지가 감지된다면 그것은 제가 의도한 것이라기보다는, 읽는 사람과 유기적으로 결합되어 발생하는 것이 아닐까요.

전 : 답을 듣고 보니 어리석은 질문이었던 것 같네요. 시에서는 언어가 전달하는 감각 자체가 메시지일 것인데, 저는 무리해서 그 둘을 분리시키고 어느 쪽이 중요한지를 양자택일하라고 한 것이니까요.

사실 「미래는 공처럼」도 '메시지'가 명확한 작품은 아닙니다. 이 작품의 앞부분에서는 "가장 위험한 사람"이자 "경쾌하고 즐거운 사람"인 누군가가 불현듯 등장하고, "그림자놀이"와 "메추라기"의 이야기가 제시됩니다. 그런데 뒷부분에서는 '미래'라는 추상적 개념이 공과 새(메추라기)의 구체적 이미지로 형상화되지요. 그렇게 통통 튀듯이 전개되는 이 작품이 설득력을 갖는 것은 각각의 이미지들을 감각적으로 배열해냈기 때문입니다.

한데 어떤 독자들은 '의미'가 해독되지 않은 시를 어렵게 느끼고 부담스러워 할 수도 있을 것입니다. 독자들이 시인님의 시를 읽을 때 어떤 점에 주목하고 어떻게 읽으면 좋겠다고 생각하시나요?

유 : 해독되지 않는 시를 어려워하는 것은 아마도, 문학작품을 읽는 행위에 기대하는 바가 크기 때문일 것 같습니다. 독서는 힘든 것이니까요. 힘들여 읽었으니 남는게 있어야 해요. 그런데 해독이 되지 않으면 남는 게 없다고 여겨지겠지요. 시간과 품이 아까우면 안되니까 어떻게 해서든 의미를 찾고 싶고, 깨달음이나 감동을 얻고 싶어집니다. 그렇지만 제가 시에서 도달하고자 하는 지점은 '의미의 세계'가 아닙니다. 이런 이야기는 좀 너무 진지한 것 같지만…… 우리가 발붙인 세계는 길고 따분하며, 혹은 비참하고 슬프기 때문에, 잠시 다른 세계로 한눈을 팔아보는 겁니다. 조금 다른 질서의 세계 말입니다. 언어적 관습만 벗어나도 사고나 감각에 긴장이 생깁니다. 저는 그것이 좋아요. 제가 하려는 감각의 탈주가 독자들에게도 일말의 해방감을 남긴다면 좋겠습니다. 그게 아니라면…… 이 시는 도대체 무슨 소릴 하는 거냐고 불평만 남는다면…… 시 읽기를 통해 잠깐이나마 어리둥절해진 것으로 시의 목적을 다 이뤘다고 말하면 안될까요? (웃음)

전 : 시인님의 작품을 '무의미 시'라고 지탄하는 사람은 별로 없을 것 같습니다.(웃음) 「미래는 공처럼」의 경우만 봐도 실감나게 형상화된 이미지들이 독자들의 감각이나 사유를 자극할 만한 매개체가 될 만한 힘이 있거든요. 직접적으로 메시지를 발설하지 않으면서 독자가 무엇인가를 느끼게끔 만드는 것이 시인님의 작품이 지닌 매력이

라고 생각했습니다.

다음으로는 조금 더 가벼운 질문을 드리겠습니다. 어떤 때 시를 쓰시나요?

유 : 책상에 앉아서 원고를 쓰는 건 마감이 있을 때만.(웃음)

그래도 저는 늘 시 쓰고 있다고 생각합니다. 제가 학교에서 아이들과 시 공부를 하고 있는데, 학생들이 가장 많이 하는 말이 그겁니다. 뭘 써야 할지 모르겠다고요. 당연히 모를 수밖에 없습니다. 언제나 시의 자장 안에 있는 상태가 아니라면 말입니다. 밥 먹고 아 맛있다, 친구들이랑 농담하면서 아 웃기다, 귀가하면서 아 피곤하다, 그런 무감함의 상태로 있다가 이제부터 시를 써보자 하고 책상 앞에 앉잖아요. 그럼 당연히 뭘 써야 되는지 모르게 됩니다. 일상 속에 시라는 중심축을 세우고 보고 듣고 생각하고 만진다는 기분으로 지내면 시는 곳곳에서 튀어나온다고 생각합니다. 그걸 메모해두었다가 어느 정도 감각과 사유의 맥락이 모아지면 한 편의 시로 만들어보는 것입니다. 시 쓰기의 규칙 같은 것은 제게는 이게 전부인 것 같습니다.

전 : 마지막으로 2019년의 계획이나 이후에 시인으로서의 포부 같은 것이 있으면 말씀해주십시오.

유 : 2019년에 세 번째 시집이 나올 계획입니다. 새 시집이 나오면 또 다른 세계로 가기 위해 애쓸 것입니다. 그 애씀도 즐거울 것입니다. 저는 시가 개별적인 발버둥이라고 생각합니다. 살아있는 것처럼 살아보려는 발버둥. 오늘 태어난 존재처럼 세상을 희한스러워하려는 발버둥. 앞으로도 살아있는 것처럼 살아보기 위해서 바쁘게 발을 놀려야겠습니다. 그러나 내면의 발놀림만 바빴으면 좋겠습니다. 시민으로서의 포부를 여쭈셨으면 다른 대답을 했을 테지만, 시인으로

서의 포부를 여쭈셨기 때문에 이런 이야기를 하고 싶습니다. 제가 가장 마음에 드는 생활의 밀도는 일하는 날이 일주일에 사나흘을 초과하지 않는 것입니다. 나머지 날에는 늦게 자고 늦게 일어나고 싶습니다. 일어나서는 슬렁슬렁 개를 산책시키고 싶습니다. 입으로 들어가는 밥을 입으로 들어가는 줄 알고 먹고 싶고, 그것도 천천히 꼭꼭 씹어 먹고 싶습니다. 책을 읽거나 영화를 보거나 하는 일이 빈둥거리는 것처럼 보이고 싶지 않습니다. 공원 벤치에 오래 앉아 어린이들, 새들, 구름들, 나무들, 개들, 노인들, 꽃들이 어떻게 움직이고 소리 내는지 듣고 싶습니다. 그러다 별안간 뭐가 떠올라 메모하고 잠깐만 뿌듯하고 싶습니다. 직장에 다니는 친구들을 만나서 뭐하고 지내는지 물어오는 말에 계면쩍지 않고 싶습니다. 이중에 몇 가지는 포기하게 될 때 불행하다고 느끼지 않고 싶습니다.

전 : 바라는 모든 것들이 이뤄지는 한 해가 되길 바라겠습니다. 인터뷰에 응해주셔 감사합니다.

유 : 감사합니다.

【 '작가'가 선정한 오늘의 시 】 시리즈

2002 '작가'가 선정한 오늘의 시&시조 _ 고두현 「귀로」 外
기획위원 / 이우걸 장경렬 이경철 유성호 홍용희 김춘식 신국판 / 값 7,000원

2003 '작가'가 선정한 오늘의 시 _ 신경림 「낙타」 外
기획위원 / 이지엽 맹문재 오형엽 신국판 / 값 8,000원

2004 '작가'가 선정한 오늘의 시 _ 문태준 「맨발」 外
기획위원 / 문혜원 맹문재 유성호 신국판 / 값 8,000원

2005 '작가'가 선정한 오늘의 시 _ 문태준 「가재미」 外
기획위원 / 문혜원 맹문재 유성호 신국판 / 값 8,000원

2006 '작가'가 선정한 오늘의 시 _ 송찬호 「만년필」 外
기획위원 / 유성호 박수연 김수이 신국판 / 값 9,500원

2007 '작가'가 선정한 오늘의 시 _ 김신용 「도장골 시편-넝쿨의 힘」 外
기획위원 / 유성호 박수연 김수이 신국판 / 값 10,000원

2008 '작가'가 선정한 오늘의 시 _ 김경주 「무릎의 문양」 外
기획위원 / 이형권 유성호 오형엽 신국판 / 값 10,000원

2009 '작가'가 선정한 오늘의 시 _ 송재학 「늪의 內簡體를 얻다」 外
기획위원 / 이형권 유성호 오형엽 신국판 / 값 10,000원

2010 '작가'가 선정한 오늘의 시 _ 진은영 「오래된 이야기」 外
기획위원 / 유성호 홍용희 이경수 신국판 / 값 10,000원

2011 '작가'가 선정한 오늘의 시 _ 심보선 「'나'라는 말」 外
기획위원 / 유성호 홍용희 함돈균 신국판 / 값 12,000원

2012 '작가'가 선정한 오늘의 시 _ 안도현 「일기」 外
기획위원 / 유성호 홍용희 함돈균 신국판 / 값 12,000원

2013 '작가'가 선정한 오늘의 시 _ 공광규 「담장을 허물다」 外
기획위원 / 유성호 홍용희 함돈균 신국판 / 값 12,000원

2014 '작가'가 선정한 오늘의 시 _ 이원 「애플 스토어」 外
기획위원 / 유성호 홍용희 함돈균 신국판 / 값 12,000원

2015 '작가'가 선정한 오늘의 시 _ 유홍준 「유골」 外
기획위원 / 유성호 홍용희 함돈균 신국판 / 값 14,000원

2016 '작가'가 선정한 오늘의 시 _ 박형준 「칠백만원」 外
기획위원 / 유성호 홍용희 함돈균 신국판 / 값 14,000원

2017 '작가'가 선정한 오늘의 시 _ 나희덕 「종이감옥」 外
기획위원 / 유성호 홍용희 나민애 신국판 / 값 14,000원

2018 '작가'가 선정한 오늘의 시 _ 신철규 「심장보다 높이」 外
기획위원 / 유성호 홍용희 함돈균 신국판 / 값 14,000원

2019 '작가'가 선정한 오늘의 시 _ 유계영 「미래는 공처럼」 外
기획위원 / 유성호 홍용희 나민애 전철희 신국판 / 값 14,000원

【'작가'가 선정한 오늘의 영화 】 시리즈

2006 '작가'가 선정한 오늘의 영화 _ 2006 이준익 감독 〈왕의남자〉 外

기획위원 / 강유정 김서영 강태규　신국판 / 값 9,500원

2007 '작가'가 선정한 오늘의 영화 _ 2007 김태용 감독 〈가족의 탄생〉 外

기획위원 / 강유정 이상용 황진미　신국판 / 값 9,500원

2008 '작가'가 선정한 오늘의 영화 _ 2008 이창동 감독 〈밀양〉 外

기획위원 / 유지나 강태규 설규주　신국판 / 값 10,000원

2009 '작가'가 선정한 오늘의 영화 _ 2009 장훈 감독 〈영화는 영화다〉 外

기획위원 / 유지나 전찬일 강태규　신국판 / 값 10,000원

2010 '작가'가 선정한 오늘의 영화 _ 2010 봉준호 감독 〈마더〉 外

기획위원 / 유지나 전찬일 강태규　신국판 / 값 10,000원

2011 '작가'가 선정한 오늘의 영화 _ 2011 이창동 감독 〈시〉 外

기획위원 / 유지나 전찬일 강태규　신국판 / 값 12,000원

2012 '작가'가 선정한 오늘의 영화 _ 2012 이한 감독 〈완득이〉 外

기획위원 / 유지나 전찬일 강태규　신국판 / 값 12,000원

2013 '작가'가 선정한 오늘의 영화 _ 2013 윤종빈 감독 〈범죄와의 전쟁 : 나쁜 놈들 전성시대〉 外

기획위원 / 유지나 전찬일 강유정　신국판 / 값 12,000원

2014 '작가'가 선정한 오늘의 영화 _ 2014 봉준호 감독 〈설국열차〉 外

기획위원 / 유지나 전찬일 강유정 신국판 / 값 12,000원

2015 '작가'가 선정한 오늘의 영화 _ 2015 김한민 감독 〈명량〉 外

기획위원 / 전찬일 홍용희 이재복 강태규 손정순 신국판 / 값 14,000원

2016 '작가'가 선정한 오늘의 영화 _ 2016 류승완 감독 〈베테랑〉 外

기획위원 / 유지나 전찬일 이재복 강태규 손정순 신국판 / 값 14,000원

2017 '작가'가 선정한 오늘의 영화 _ 2017 이준익 감독 〈동주〉 外

기획위원 / 유지나 전찬일 손정순 신국판 / 값 14,000원

2018 '작가'가 선정한 오늘의 영화 _ 2018 김현석 감독 〈아이 캔 스피크〉 外

기획위원 / 유지나 전찬일 손정순 신국판 / 값 14,000원

2019 '작가'가 선정한 오늘의 영화 _ 2019 이창동 감독 〈버닝〉 外

기획위원 / 유지나 전찬일 손정순 신국판 / 값 14,000원